COMMENT
BÂTIR UN RÉSEAU
DE CONTACTS
SOLIDE

Les Éditions Transcontinental inc.
1100, boul. René-Lévesque Ouest
24e étage
Montréal (Québec) H3B 4X9
Tél. : (514) 392-9000
1 800 361-5479
www.livres.transcontinental.ca

Les Éditions de la Fondation de l'entrepreneurship
55, rue Marie-de-l'Incarnation
Bureau 201
Québec (Québec) G1N 3E9
Tél. : (418) 646-1994, poste 222
1 800 661-2160, poste 222
www.entrepreneurship.qc.ca

La collection *Entreprendre* est une initiative conjointe de la Fondation de l'entrepreneurship et des Éditions Transcontinental visant à répondre aux besoins des futurs et des nouveaux entrepreneurs.

Distribution au Canada
Les messageries ADP
2315, rue de la Province, Longueuil (Québec) J4G 1G4
Tél.: (450) 640-1234 ou 1 800 771-3022
adpcommercial@sogides.com

Distribution en France
Géodif Groupement Eyrolles — Organisation de diffusion
61, boul. Saint-Germain 75005 Paris FRANCE – Tél. : (01) 44.41.41.81

Distribution en Suisse
Servidis S. A. – Diffusion et distribution
Chemin des Chalets CH 1279 Chavannes de Bogis SUISSE – Tél.: (41) 22.960.95.10
www.servidis.ch

Données de catalogage avant publication (Canada)
Cardinal, Lise
Comment bâtir un réseau de contacts solide
Collection *Entreprendre*
Publié en collaboration avec Les Éditions de la Fondation de l'entrepreneurship
ISBN 2-89472-302-4 (Éditions)
ISBN 2-89521-084-5 (Fondation)

1. Réseaux d'affaires. 2. Réseaux sociaux. I. Fondation de l'entrepreneurship.
II. Titre. III. Collection : Entreprendre (Montréal, Québec).

HD69.S8C37 1998   650.1'3   C98-941153-2

Révision et correction: Lyne M. Roy, Francine St-Jean
Photo de Lise Cardinal : Toulouse Jodoin Artistes Photographes © 2004
Conception graphique de la couverture et mise en pages: Studio Andrée Robillard

Imprimé au Canada
© Les Éditions Transcontinental inc. et Les Éditions de la Fondation de l'entrepreneurship, 1998, 2005
Dépôt légal — 4e trimestre 2005
6e impression, octobre 2005
Bibliothèque nationale du Québec
Bibliothèque nationale du Canada
ISBN 2-89472-302-4 (Éditions)
ISBN 2-89521-084-5 (Fondation)

Nous reconnaissons, pour nos activités d'édition, l'aide financière du gouvernement du Canada, par l'entremise du Programme d'aide au développement de l'industrie de l'édition (PADIÉ), ainsi que celle du gouvernement du Québec (SODEC), par l'entremise du programme Aide à la promotion.

Lise Cardinal
avec **Johanne Tremblay**

COMMENT
BÂTIR UN RÉSEAU
DE **CONTACTS**
SOLIDE

REMERCIEMENTS

J e me plais à dire que l'autodidacte que je suis est le produit de ses réseaux. En fait, les personnes qui en font partie ont fait de moi ce que je suis devenue.

Il me serait difficile de rendre hommage à ceux et à celles qui, au cours de ma vie de femme et de femme d'affaires, m'ont encouragée, m'ont présentée aux bonnes personnes, m'ont fourni de l'information privilégiée, m'ont secouée au moment opportun.

Toutefois, quatre grandes dames ressortent du lot et personnifient pour moi la générosité, vertu cardinale des réseauteurs ; il s'agit d'Henriette Lanctôt, fondatrice de l'Association des femmes d'affaires du Québec, de Nicole Beaudoin, l'actuelle présidente du Réseau des femmes d'affaires du Québec, de Donna M. Reed, présidente de Resources for Women, de Tucson, en Arizona, et de Johane Verdier, ma complice dans l'animation de séminaires sur le réseautage, qui m'a appris à voir au-delà de la première impression.

J'adresse également des remerciements aux membres de ma cellule d'entraide au sein du Réseau des femmes d'affaires du Québec (RFAQ) (VIA : Valeurs, Intégrité, Amitié) et à ceux des Jeudis clandestins, un mini-réseau d'amis du monde des affaires ; je salue donc Jean-Vianney Jutras, Manon Blanchette, Denise Ségat et Renée Bédard auprès de qui j'ai testé mes théories tout au long de la rédaction de ce livre.

Et que dire de la patience angélique et du professionnalisme démontrés par Johanne Tremblay, communicatrice chevronnée que mes éditeurs m'avaient assignée pour encadrer mes élans ! Sans son appui de tous les instants, ce livre n'aurait sans doute pas survécu au verglas !

Finalement, je tiens à remercier les personnes qui ont respecté mes consignes lorsque je me suis isolée pour écrire cet ouvrage. Savoir qu'elles demeuraient disponibles, lorsque j'éprouvais le besoin de reprendre contact avec le monde, m'a été d'un grand soutien.

AVANT-PROPOS

J'ai beau être curieuse et intéressée par tout ce qui bouge, le temps me manque pour approfondir les nombreux sujets qui me passionnent. Mon intérêt pour le *networking*, maintenant connu sous le vocable « réseautage », a été déclenché, puis alimenté par une série d'événements qui ont marqué mon cheminement professionnel.

L'événement initial s'est produit en 1972. J'étais à Toronto pour ma première rencontre trimestrielle des directeurs de centres commerciaux du promoteur immobilier Cambridge Leaseholds. Unique femme présente, j'étais un peu décontenancée de constater que j'avais six ou sept ans de plus que mes collègues — et que j'étais plus « expérimentée ».

Quelques semaines plus tôt, la Mauricie avait connu l'une de ces « tempêtes du siècle » qui avait donné des sueurs froides à mes patrons ; le centre commercial Les Rivières, à Trois-Rivières, était leur premier investissement immobilier au Québec. Pour ajouter à leur inquiétude, c'était la première fois qu'ils confiaient à une femme la direction générale d'un de leurs centres commerciaux régionaux. « Serait-elle à la hauteur de la tâche ? » se demandaient-ils fort probablement.

Pendant la rencontre, le président m'a demandé de raconter, en dépit de mon anglais hésitant, comment je m'y étais prise pour faire déblayer la toiture de 400 000 pieds carrés, ensevelie sous 16 pouces de neige tombée en moins de 8 heures. Le poids de la neige avait nui au mouvement des portes coulissantes de certains commerces et causé quelques fuites d'eau dans les aires communes. Et, tant qu'à y être, ne pouvais-je pas partager avec mes collègues l'installation éclair (en une seule nuit !), effectuée quelques mois auparavant, de tonnes de décorations de Noël au plafond cathédrale, quelques mois auparavant?

La première situation réclamait que l'on soulage rapidement la toiture de sa charge, avec toutes les précautions qui s'imposent. À la suggestion de mon voisin de palier, Ted Marineau, avec qui je siégeais au conseil d'administration de la Fondation sportive des Patriotes de l'UQTR, je communiquai avec l'entraîneur de l'équipe de football de l'université. Quelques heures plus tard, munis de pelles rutilantes, les membres de l'équipe, sous la direction de leur entraîneur, déblayaient les points stratégiques de la toiture, et la situation revenait à la normale. Il va sans dire que cette activité a contribué à maintenir la bonne condition physique des joueurs de l'équipe de football et que le chèque remis allait vite faire oublier les courbatures.

Quant aux décorations de Noël, je ne pouvais me décider à laisser grimper mes employés de soutien dans des échafaudages, étant moi-même sujette au vertige. Mon mari, qui était à la fois policier et pompier, me suggéra de proposer cette tâche à une équipe de pompiers en congé. J'ai donc communiqué avec le syndicat des policiers-pompiers qui me délégua d'emblée un groupe d'hommes forts et habiles, entraînés à monter dans les échelles et à travailler en équipe. Les plans de la galerie et les devis des énormes couronnes leur furent soumis une semaine avant l'installation. Ils se chargèrent même de louer l'équipement requis.

Sitôt terminée la dernière séance des cinémas, nous avons verrouillé les portes du centre commercial et nous sommes passés rapidement à l'action. Lorsque le personnel et les clients sont entrés le lendemain matin, Noël était arrivé au centre commercial Les Rivières, et les policiers-pompiers avaient de quoi financer entièrement l'arbre de Noël des orphelins.

Mes patrons m'ont félicitée de la façon dont je m'étais acquittée de ces situations. Ils s'étaient rendu compte avec soulagement que « leur femme » s'en était bien tirée. Puisque ma présence aux commandes d'un centre commercial de cette envergure constituait une première canadienne dans l'industrie, on savait que les yeux étaient rivés sur moi.

Mes collègues réunis à l'occasion de cette première rencontre trimestrielle ne semblaient pas aussi emballés par mes exploits. En fait, ils étaient carrément contrariés que l'on accorde autant d'importance à la «petite nouvelle». Avec du recul, je peux les comprendre. Frais émoulus de l'université, ils avaient été, pour la plupart, *parachutés* dans une ville étrangère. Jeunes mariés, ils n'avaient pas encore apprivoisé leur milieu d'adoption ni eu le temps de s'implanter véritablement dans la collectivité, encore moins de s'y constituer un réseau. Quant à moi, je vivais à Trois-Rivières depuis une douzaine d'années et j'étais déjà membre de toutes sortes d'organisations avant d'accepter cet emploi.

Le malaise autour de la table était palpable, à tel point que le président est venu à mon secours d'une manière tout à fait inattendue : il a précisé que mes succès étaient reliés à la **force de mon réseau**. Il a bien sûr utilisé l'expression *network*. À l'époque, les seuls réseaux dont on parlait étaient reliés à la téléphonie ou à la diffusion radio et télé. Il a consacré de longues minutes à souligner l'importance de se faire connaître d'un maximum de personnes et, surtout, de ne jamais hésiter à exprimer ses besoins, les pistes de solutions pouvant nous parvenir de sources souvent inattendues. J'avais su tirer profit, disait-il, de mon réseau personnel et de celui de mon mari.

Je suis rentrée chez moi hantée par le terme *networking*. L'autodidacte que je suis venait d'être lancée sur une nouvelle piste. Je voulais en savoir plus sur le sujet. Ce n'est malheureusement pas dans les dictionnaires que j'ai pu satisfaire ma curiosité. *Le Petit Larousse* comme *Le Petit Robert* reliaient alors le réseau à «un ensemble de personnes qui sont en liaison en vue d'une action clandestine». Est-ce pour cette raison que, encore aujourd'hui, certains sceptiques voient le réseautage comme de la manipulation et de l'opportunisme érigés en système ?

J'allais collectionner et lire tout ce qui s'était publié sur le sujet. Quelle ne fut pas ma surprise de constater qu'il n'existait aucun livre en français ! Vingt-cinq ans plus tard, à ma connaissance, il n'en existe toujours pas. Voici le premier.

Lise Cardinal

fondation de l'entrepreneurship

La **Fondation de l'entrepreneurship** s'est donné pour mission de promouvoir la culture entrepreneuriale, sous toutes ses formes d'expression, comme moyen privilégié pour assurer le plein développement économique et social de toutes les régions du Québec.

En plus de promouvoir la culture entrepreneuriale, elle assure un support à la création d'un environnement propice à son développement. Elle joue également un rôle de réseauteur auprès des principaux groupes d'intervenants et poursuit, en collaboration avec un grand nombre d'institutions et de chercheurs, un rôle de vigie sur les nouvelles tendances et les pratiques exemplaires en matière de sensibilisation, d'éducation et d'animation à l'entrepreneurship.

La Fondation de l'entrepreneurship s'acquitte de sa mission grâce à l'expertise et au soutien financier de plusieurs organisations. Elle rend un hommage particulier à ses **partenaires** :

ses **associés gouvernementaux** :

Québec 🏳️🏳️   Canada

et remercie ses **gouverneurs** :

Raymond Chabot Grant Thornton ☎

TABLE DES MATIÈRES

INTRODUCTION

Le réseautage est la communication qui crée
des liens entre les gens et les groupes de gens.

John Naisbitt, Megatrends

Je sais par expérience que le talent seul ne conduit pas forcément au succès. Le travail ardu non plus. Tôt dans ma vie, sans même pouvoir définir le phénomène, j'ai pris conscience du pouvoir du réseautage.

En tant qu'autodidacte, j'ai trouvé dans le réseautage un outil de marketing extraordinaire : marketing de ma personne, des idées que je souhaitais promouvoir, des projets que je devais mener à bon port, etc.

Bien que ce mot n'apparaisse pas dans le dictionnaire, le réseautage est devenu incontournable. Il est désormais abondamment utilisé par les gourous de l'administration et du leadership ; les auteurs d'ouvrages sur la gestion en vantent les mérites et les spécialistes en réaffectation y voient un outil de premier plan. On le sert à toutes les sauces : le réseautage est la clé pour éviter l'isolement, pour faciliter les relations d'affaires, pour obtenir des références, pour créer des partenariats, bref, pour se simplifier la vie !

Cependant, le réseautage ne se résume pas qu'à échanger des cartes professionnelles, à se souvenir des noms et à savoir naviguer dans un cocktail ou une réunion d'affaires. Plusieurs personnes s'engagent dans le réseautage sans vraiment s'en rendre compte alors que d'autres espèrent des résultats rapides, presque des miracles, sans fournir d'effort.

Ce livre se veut une introduction au réseautage. Vous n'y trouverez pas toutes les réponses mais, si vous êtes convaincu du besoin de vous constituer un réseau, vous y puiserez certainement des trucs qui vous faciliteront la tâche.

Je compte vous entretenir du besoin de faire savoir à un maximum de personnes que vous existez, des stratégies pour demeurer en communication avec ces personnes et de l'utilité de tenir un fichier à jour.

Je vous apprendrai à vous présenter de façon claire et mémorable, à garder votre niveau d'énergie au maximum et à vous faire des amis.

Mais surtout, je vous inciterai à définir ce que vous voulez obtenir et à l'énoncer clairement de manière à ce que l'on puisse vous aider à concrétiser vos rêves facilement et à atteindre les objectifs que vous vous serez fixés.

Pour emprunter une expression chère au langage informatique, ce livre se veut un guide de l'usager *user friendly,* rempli de trucs prêts à être mis en pratique, d'exemples et de pistes de réflexion pour améliorer votre réseau. En d'autres mots, vous puiserez dans une mine de gros bon sens. Entrepreneurs, travailleurs indépendants, professionnels, parents, adolescents, fonctionnaires, chômeurs, bref, toute personne qui n'aspire pas à la vie d'ermite y trouvera son compte.

Dans un premier temps, vous découvrirez que le réseau n'est pas qu'une affaire de contrats et de développement de marché, mais qu'il peut y conduire. Vous apprendrez comment le réseautage peut devenir un mode de vie et enrichir toutes les dimensions de votre existence.

Dans un second temps, vous découvrirez les multiples bénéfices — financiers, personnels, professionnels — à agrandir et à entretenir son réseau. Par la suite, des exercices vous aideront à dresser la liste des membres de votre propre réseau et à établir le bilan de santé de celui-ci.

En deuxième partie, vous apprendrez comment vous pouvez améliorer vos habiletés de réseautage et ce qu'il faut faire pour en tirer le maximum d'avantages. Des trucs, des méthodes de travail, des mises en situation précises et des témoignages vous aideront à devenir un véritable réseauteur.

Vous n'êtes toujours pas convaincu ?

Saviez-vous qu'un contact génère 80 % plus de résultats qu'une sollicitation au hasard (*cold call*) ? Saviez-vous qu'approximativement 70 % des postes vacants ne sont jamais annoncés, mais qu'ils sont pourvus par des personnes qui ont fait travailler leur réseau ? Vous rendez-vous compte que la personne que vous désirez rencontrer, qui qu'elle soit, est accessible au bout d'une chaîne de quatre ou cinq personnes ? Enfin, saviez-vous que la plupart des gens que vous rencontrez ont en moyenne 250 contacts à partager ?

Ce livre vous dira comment mettre ce pouvoir à profit.

CHAPITRE 1

Le réseautage : faites-en un mode de vie

Les liens que vous créez pour aider
d'autres personnes à atteindre leurs objectifs
vous aideront, en retour, à atteindre les vôtres.

Ralph Hayes, président,

Data Voice Technologies

Il ne se passe pas une journée sans que l'on lise ou que l'on entende discourir sur le réseau, l'importance d'en avoir un et la nécessité de l'entretenir. Au fil des ans, j'ai pu me rendre compte que l'art du réseautage ne vient pas naturellement à une majorité d'entre nous. Certaines personnes vont vers les autres plus facilement que d'autres, mais elles ne profitent pas forcément de cet avantage pour améliorer leur sort.

En discutant avec des collègues, des clients et des amis, je m'aperçois que certains d'entre eux perçoivent le réseautage comme de la manipulation, de l'opportunisme. Ma carrière étant largement le « produit » du réseautage, je n'hésite jamais à remettre les pendules à l'heure.

1.1 DES HOMMES, DES FEMMES ET DES RÉSEAUX

Février 1989. Alors que je travaillais à augmenter le nombre de membres de l'Association des femmes d'affaires du Québec (AFAQ) depuis trois ans, j'ai reçu, un lundi matin, quatre appels d'autant de dirigeants de la grande entreprise. Ils réagissaient à un article (dont je n'avais pas encore pris connaissance) paru dans le magazine *PME*, qui s'intitulait : « Les femmes dans l'entreprise, l'ascenseur bloque ». L'auteure de cet article, Marie-Agnès Thellier, avait abondamment cité mes propos.

Si tous ont réagi de façon cavalière, voire agressive, chacun croyait être le seul à me tenir ce type de propos. À la fin de la journée, il m'apparaissait évident que ces quatre gestionnaires avaient discuté récemment de la question des femmes gestionnaires. Le vocabulaire utilisé pour faire valoir leur point de vue était on ne peut plus belliqueux. On allait même jusqu'à douter de ma discrétion sur ce que l'on s'apprêtait à me confier. Pourquoi ces réactions ?

Je n'ai pas tardé à apprendre que ces entreprises avaient établi des contrats avec le gouvernement fédéral et, histoire de remplir leur quota de « minorités visibles », avaient opté pour l'embauche de femmes plutôt que de personnes handicapées ou d'employés issus des minorités culturelles. Pour trouver les meilleures candidates, on avait eu recours à des chasseurs de têtes. Aussi, au prix qu'elles leur avaient coûté, ces chefs d'entreprise s'attendaient à obtenir du « deux pour un » ; selon eux, les nouvelles recrues arriveraient avec deux réseaux, soit un réseau masculin et un autre féminin. Surprise ! Ces femmes ultra-compétentes n'en avaient tout simplement pas.

Ces chefs d'entreprise voulaient justement savoir combien de temps il faudrait à l'Association des femmes d'affaires du Québec pour doter d'un réseau leurs employées. L'un d'eux a cru bon d'ajouter qu'il ne vivait que pour le jour où il pourrait se débarrasser de sa décevante recrue.

Cette journée fatidique est gravée dans ma mémoire. Elle s'est avérée un point tournant de ma carrière. J'ai très mal dormi cette nuit-là. Je me rendais compte, une fois de plus, de la fragilité des acquis des femmes. J'appréhendais un backlash, comme disent les Américains, un brusque recul, comme dit plus modérément Larousse. À l'époque, l'AFAQ comptait tout au plus une douzaine de membres gestionnaires de haut niveau. J'ai entrepris, dès le lendemain, de communiquer avec elles. J'ai posé les mêmes questions à toutes : Qu'est-ce qui vous a amenée à l'AFAQ et qu'y avez-vous trouvé pour faciliter votre travail de gestionnaire ? À quelques détails près, la réponse était la même : « Lorsque l'on a annoncé ma nomination, votre présidente m'a fait parvenir une lettre de félicitations et j'ai eu envie de me joindre à une association de femmes d'affaires ; mais, occupée à me faire une place dans ma nouvelle entreprise, je n'ai participé à aucune des activités de l'association. »

L'une d'elles, Nicole Beaudoin, alors vice-présidente finances chez Via Rail, a insisté pour que nous nous rencontrions. Après avoir été mise au courant de mes conversations téléphoniques décrites précédemment, elle m'a proposé de convoquer, chez Via Rail, les gestionnaires membres de l'AFAQ, histoire de « voir ce que nous pourrions faire ensemble ». Dix ont accepté l'invitation. La majorité détenaient un titre comptable ou un diplôme en administration ; elles ont donc discuté pendant plus de quatre heures. Chacune croyait que son propre patron m'avait parlé. Tout au long de cette rencontre, je ne pouvais m'empêcher de ressasser dans ma tête les propos de leurs patrons. Ils avaient raison : les femmes ne se connaissaient pas entre elles ; elles continuaient de se vouvoyer, même après avoir été présentées officiellement, tant elles étaient, à l'époque, impressionnées par les titres et les fonctions de leurs consœurs. Visiblement, elles ne disposaient pas de réseau féminin. Pire, l'une d'elles a carrément refusé de fournir son numéro de téléphone personnel à ses consœurs, prétextant qu'elle ne voulait pas d'appels concernant le travail à la maison.

On était loin du « petit débrouillard » qui conserve précieusement les coordonnées de ses contacts dans un carnet noir...

Au printemps 1991, j'ai été invitée en Tunisie, puis quelques mois plus tard au Maroc, pour enseigner à une centaine de femmes entrepreneures, nouvellement regroupées en association, comment se servir d'un réseau. Les organisateurs de cette rencontre étaient américains. Ils n'en démordaient pas, l'approche devait être américaine et la personne-ressource devait pouvoir s'exprimer couramment en français.

Je pilotais depuis déjà cinq ans l'Association des femmes d'affaires du Québec (AFAQ) et donné des douzaines de conférences sur le « marketing de soi » devant les membres des chambres de commerce et d'autres regroupements dans tout le Québec. Je rédigeais également une chronique sur le sujet dans la publication provinciale de l'AFAQ. Bref, j'étais la personne qu'il fallait !

Les participantes ne savaient trop à quoi s'attendre. Le réseautage était une notion complètement étrangère pour elles et, de surcroît, la méfiance entre les participantes était palpable. Celles-ci refusaient même de dire dans quel type d'entreprise elles évoluaient, par crainte de se « faire voler leur idée d'entreprise » !

Comme la culture maghrébine ne m'était pas familière, on m'avait fait promettre, avant mon départ, de ne pas créer d'incident diplomatique. Il faut dire que ce serait plutôt mon genre... Devant le mutisme de mes participantes, j'ai choisi de n'écouter que mon intuition : je suis allée fermer les tentures des portes-fenêtres de la salle de réunion et j'ai verrouillé les portes. Advienne que pourra !

Je leur ai dit à peu près ceci : « J'ignore sur quoi ou à qui vous prêtez serment, mais avant d'aller plus loin dans cet atelier, chacune de vous devra s'engager, sur son honneur, à ne pas dévoiler à qui que ce soit — et cela inclut votre mari, votre père et votre mère — un mot de ce qu'elle aura entendu ici aujourd'hui. Celles qui ne sont pas à l'aise avec cet engagement doivent sortir maintenant. »

Aucune n'est sortie.

Toutes, sans exception, bras tendu au-dessus de la table, se sont engagées qui en français, qui en arabe, à la confidentialité. Je me suis surprise à respirer de nouveau normalement. La complicité venait de s'installer, et le reste de la journée s'est déroulé comme un charme. Mieux encore, plusieurs projets de collaboration se sont amorcés : le réseautage avait pris racine.

Il fallait voir les participantes, à la pause, tentant d'expliquer avec force gestes, à leurs consœurs inscrites à un autre atelier, qu'elles ne pouvaient parler parce qu'elles étaient sous serment.

Le lendemain, on a dû m'installer dans une salle deux fois plus vaste : on venait « prêter serment » en masse.

En fait, les femmes n'ont commencé à s'éveiller au réseautage qu'au milieu des années 1980, lorsqu'elles ont décidé de prendre leur place au sein des grandes entreprises. C'était la seule façon, croyaient-elles, de pénétrer le *old boys network*. Quant aux hommes, l'idée répandue veut que ce concept leur soit naturel, presque génétique, un peu comme le charisme. Toutefois, si je me fie aux réactions de ceux que je rencontre dans mes ateliers de réseautage, il s'agit là d'un mythe. Les hommes sont aux prises, comme la majorité des femmes, avec la peur du rejet et l'angoisse de se présenter à des inconnus. Ils en font moins état, c'est tout !

1.2 LE RÉSEAUTAGE, JOUR ET NUIT

Qu'entend-on par « faire du réseautage un mode de vie » ? Cela implique : que l'on pense réseautage jour et nuit ; que l'on apprenne à tirer parti des occasions qui nous sont fournies chaque jour de mieux connaître les membres de notre entourage ; que l'on organise notre pensée, notre vision pour arriver à exprimer clairement nos besoins, nos attentes ; que l'on utilise toutes les occasions qui se présentent pour se faire connaître et reconnaître.

Le réseautage demande que l'on y consacre du temps, de l'énergie et de l'engagement. En revanche, les dividendes que l'on en retire sont incroyables. **Les plus grands facteurs de notre succès sont en nous. Nous sommes notre meilleur investissement.** Mais encore faut-il être assez visible pour le faire savoir aux autres. Les contacts d'affaires, quoi que l'on en dise, se font en personne. Ma grand-mère avait l'habitude de dire que même la plus belle fille du monde ne se mariera pas si elle reste toujours dans sa cuisine !

Faire du réseautage, c'est construire un pont entre des besoins et des ressources en utilisant les énergies en place. On avait l'habitude d'entendre : « L'important n'est pas ce que tu connais, mais qui tu connais. » De nos jours, il faut ajouter « qui te connaît ». Le talent seul ne fera pas le poids, ni l'expertise, ni même le fait de faire partie de Mensa. Le succès vient avec les contacts, la visibilité et les liens créés au fil des ans.

1.3 UN NOUVEAU STYLE DE POUVOIR

Travailler à la construction d'un réseau, de façon active et responsable, nous aidera à coup sûr à atteindre nos objectifs. Dans *The Aquarian Conspiracy*[1], Marilyn Ferguson écrit que « les réseaux coopèrent au lieu de se faire concurrence. Ils sont la base des fondations. » Elle ajoute : « Le pouvoir change de mains, pour passer de hiérarchies mourantes à des réseaux vivaces. Les réseaux sont l'incarnation d'une stratégie par laquelle de petits groupes peuvent transformer toute une société. »

Dans *Empower Through Networking*, Donna M. Reed rappelle que « l'art du pouvoir est un style de travail dépassé ; c'est l'art d'en faire profiter les autres qui sera le style productif de demain ». Voilà toute la différence entre le pouvoir et l'*empowerment*. Or nos rapports de force s'appuient depuis des siècles sur le pouvoir.

---

1 Voir la bibliographie complète en fin de volume à la page 133.

Dans un système basé sur le pouvoir, une seule personne trouve son profit. Le pouvoir, dans ce cas, est un facteur d'exclusion et de division ; concrètement, si vous l'avez, je ne l'ai pas. Si vous êtes au sommet, c'est que je n'y suis pas.

Par quoi ce style de pouvoir démodé doit-il être remplacé ? Par quelque chose à l'opposé, soit le partage du pouvoir. En fait, plus on pratique cet art du partage, plus on progresse. Un système basé sur le simple pouvoir s'appuie sur la concurrence. Un système de partage est basé sur la coopération. Mais est-il possible de travailler de façon coopérative et de survivre en affaires ? Non seulement c'est possible, mais c'est indispensable.

1.4 LE RÉSEAUTAGE EN QUELQUES DÉFINITIONS

Il y a autant de définitions du réseautage que de personnes qui se sont exprimées sur le sujet. J'ai apprécié tout particulièrement la description qu'en a faite l'Américain John Hope, alors président de Independance Capital Company. Pour cet homme d'affaires averti, le réseautage est « un processus systématique qui consiste à rencontrer des gens, à apprendre des choses sur eux et à établir des liens, de sorte que toutes les parties établissent et élargissent leurs banques de ressources pour soutenir leurs efforts ». Bref, c'est une méthode organisée pour tisser des liens avec les gens que vos relations connaissent de façon à vous permettre d'élargir votre propre base de contacts.

Ma propre définition va dans le même sens. Pour moi, le réseautage est l'établissement de liens, de façon intentionnelle et stratégique, qui permettent d'ouvrir de nouvelles avenues, de nouvelles perspectives.

Par extension, le réseau est un groupe de personnes qui fonctionnent en interaction pour s'aider mutuellement à aller de l'avant plus rapidement. Le réseau permet de rester à la fine pointe des développements dans plusieurs domaines, de rencontrer des personnes évoluant dans divers secteurs, donc d'élargir ses horizons, d'obtenir de façon informelle des renseignements qui peuvent s'avérer utiles. Un réseau permet de s'entourer d'alliés avec qui partager des trucs, des connaissances, des expériences, même des préoccupations et des situations difficiles. Un réseau, c'est fait pour aller plus loin, plus vite !

On entend souvent dire que l'information, c'est le pouvoir. Avec raison, mais à la condition que cette information soit partagée. Les acteurs du monde des affaires ne s'en sont rendu compte que récemment. De plus en plus d'entreprises encouragent leurs employés à communiquer, à faire partie de réseaux personnels et professionnels. Au moment de congédier du personnel, on retient souvent les employés qui disposent d'un réseau efficace, un atout qui fait figure de « valeur ajoutée ». Le cas échéant, feriez-vous partie de ceux-ci ?

CHAPITRE 2

Votre réseau est plus vaste que vous ne le pensez

Le réseautage, ce sont des gens connectés
avec d'autres, des gens qui joignent
leurs idées et leurs ressources.
Jessica Lipnack et **Jeffrey Stamps,**
The Networking Book

L es postes coulés dans le béton sont une espèce en voie de disparition. Nul n'est à l'abri d'une mise à pied, d'un changement de carrière, d'un épisode d'épuisement professionnel ou d'une remise en question.

Une base de contacts que vous aurez établis dans votre champ d'activité peut devenir une bouée de sauvetage le moment venu. Votre carrière, votre prospérité, votre survie peuvent dépendre de vos habiletés de réseauteur. On ne sait jamais quand les circonstances nous forceront à explorer d'autres avenues, et c'est à ce moment que les contacts déjà établis pourront être mis à contribution. Les inondations et la crise du verglas qui ont frappé certaines régions du Québec nous en ont fourni des preuves éclatantes. En janvier 1998, ceux qui « avaient des contacts » ont eu plus de facilité à dénicher une génératrice ou à bénéficier des services d'un électricien. Parmi les personnes sinistrées, plusieurs se sont aperçues qu'il était moins pénible d'accepter l'hospitalité d'une relation que d'un parfait étranger. Et lorsque les pannes ont paralysé les guichets bancaires, ceux qui avaient *déjà* établi des relations privilégiées avec certaines personnes ont eu plus de facilité à se faire avancer des fonds de dépannage.

Et vous ? Comment traverserez-vous la prochaine crise ?

2.1 DES RÉSEAUX ET DES BIENFAITS

De tout temps, les gens ont senti le besoin de faire connaissance, de se regrouper et d'interagir. On parle de la force du nombre, mais que dire de la synergie, de la réunion d'une multitude de talents et de diverses compétences ? Les exemples ne datent pas d'hier, que l'on pense à Jésus et à ses 12 apôtres, à la franc-maçonnerie, aux Chevaliers de Colomb, aux chambres de commerce, aux associations parents-maîtres ou aux regroupements de propriétaires de copropriétés.

Qu'on les appelle cercles, clubs privés, clubs de service, regroupements ou chambres de commerce, toutes ces associations constituent des réseaux plus ou moins formels. Quiconque y adhère finit par éprouver un sentiment d'appartenance. Qu'importe les objectifs poursuivis et la mission endossée par ces regroupements, tous peuvent s'avérer efficaces si l'on sait s'en servir convenablement.

2.1.1 Adhérer ne suffit pas

Certains réseaux sont mieux structurés que d'autres. La plupart d'entre eux exigent des frais d'adhésion. La carte de membre n'est pas pour autant un *passeport pour le ciel*, une garantie de « retour rapide sur son investissement ». Il faut s'engager si l'on veut connaître les bienfaits du réseau.

La cotisation, c'est un privilège d'acceptation dans un groupe déjà formé, et non une garantie de résultats. On ne fera pas forcément affaire avec vous parce que vous êtes membre, ni même parce que vous avez les plus bas prix ou offrez le meilleur service de la région. On ira vers vous d'abord parce que la chimie aura opéré et que vous aurez donné à votre interlocuteur le goût de faire affaire avec vous. Pour ce faire, il va sans dire que l'on vous aura vu aux réunions et que vous aurez donné à un certain nombre de personnes l'occasion de mieux vous connaître, voire de se découvrir des affinités avec vous.

Pourquoi intègre-t-on un réseau ? Pour toutes sortes de raisons. Combler un isolement, obtenir de l'information privilégiée, bénéficier de privilèges financiers, faire valoir ses droits, accroître sa visiblité, brasser des affaires, etc. On ne profite pleinement de son adhésion à un réseau que si l'on sait comment profiter de tout ce que ce dernier peut offrir. Dans un même ordre d'idées, il faut également connaître les limites d'un réseau.

2.1.2 Adhérer, c'est développer

Un réseau n'est jamais statique ; c'est pourquoi on doit saisir toutes les occasions de l'élargir, et ce, en profitant de tout ce que nous fournit le quotidien. Cela inclut les voyages et les vacances, les rendez-vous chez le coiffeur, le magasinage, la participation à un club de service, l'arrêt à la station-service ou au dépanneur.

Jean-Marie, gestionnaire pour une compagnie pharmaceutique, passe une partie de ses hivers en Floride. Avec sa conjointe, il descend presque toujours au même endroit. Forcément, il y rencontre des couples qui ont adopté sensiblement le même mode de vie. Pendant ses vacances, il joue au golf deux fois par semaine avec Gilles, un expert en réparation de toitures. Jean-Marie et Gilles partagent un autre point commun : ils habitent tous les deux la région métropolitaine. Cependant, ni l'un ni l'autre ne songent à échanger leurs coordonnées : ils se considèrent comme des « relations de vacances ».

De retour à Montréal, Jean-Marie constate que les précipitations récentes ont infligé des dommages à sa toiture. Il pense tout de suite à Gilles mais, n'ayant pas vu la nécessité d'obtenir ses coordonnées, il n'arrive pas à le joindre. Il doit se résigner à confier les réparations à un pur étranger. Résultat? Gilles a perdu un contrat et Jean-Marie se mord les doigts de sa négligence.

Il n'est pas exclu de démarrer son propre réseau. Cela demande un certain sens de l'organisation et une bonne dose d'énergie, mais l'expérience peut s'avérer très enrichissante. Un réseau de ce genre peut prendre la forme d'un club gastronomique ou œnologique amateur, d'un club de chasse et pêche, de sorties organisées de golf ou de ski, etc. La réunion de gens qui partagent des affinités ne peut que produire des bénéfices, et ce, à tous les points de vue.

2.2 LES BÉNÉFICES FINANCIERS

Pour la plupart des gens d'affaires, le plus beau son qui soit est celui de la caisse enregistreuse. Les entrepreneurs ont toutes sortes de raisons de démarrer une entreprise, mais la plus courante est de faire des profits. Ces individus rêvent non seulement d'être leur propre patron, mais aussi du jour où ils gagneront leur vie à faire ce qu'ils aiment plus que tout. Leurs chances de succès sont souvent proportionnelles à l'énergie qu'ils déploieront à communiquer leur passion pour leur produit ou leur service. Des professionnels comme les médecins, les dentistes ou les avocats peuvent être passionnés par ce qu'ils font, mais ils découvrent que c'est encore plus palpitant lorsque leur pratique est rentable et que le paiement des honoraires se fait rondement.

Si élargir leur clientèle et faire plus d'argent sont les principales motivations des gens d'affaires, comment font-ils justement pour allonger leur liste de clients et pour augmenter leurs revenus? En consacrant temps et efforts à se faire connaître, bien sûr! Le coût de la publicité, tant écrite qu'électronique, rend souvent cette avenue prohibitive. Or il est impérieux de se rappeler que l'**on achète presque toujours la « personne » avant**

le produit, d'où le besoin de se faire connaître. Je l'ai dit précédemment et je le répéterai tout au long de cet ouvrage : **les contacts d'affaires se font en personne.** Il n'existe aucune possibilité plus rentable : il faut circuler dans les réseaux.

Lorsque j'entends un entrepreneur dire qu'il ne trouve pas le temps de faire du réseautage, je ne peux m'empêcher de penser qu'il ne met pas ses priorités à la bonne place. L'expérience m'a par ailleurs prouvé que le manque de temps n'est pas toujours la vraie raison motivant l'abstinence. Pour cet entrepreneur comme pour bien d'autres, il serait plus juste — mais combien plus difficile ! — d'admettre qu'il est plus à l'aise dans son atelier ou son bureau qu'à « faire du social », une définition répandue et incomplète du réseautage.

2.3 LES BÉNÉFICES PERSONNELS

Que nous en soyons conscients ou non, la plupart d'entre nous ont accès à un réseau informel composé des membres de notre famille élargie : parents, frères, sœurs, beaux-frères, belles-sœurs, neveux et nièces devenus adultes, voisins, coiffeur, pompiste, facteur, etc. Ce réseau peut être aussi efficace qu'un réseau « officiel ».

Julie, une nouvelle membre du Réseau des femmes d'affaires du Québec (RFAQ), ne se rendait pas compte du nombre de personnes qu'elle connaissait jusqu'à ce que je lui demande de dresser la liste de celles qu'elle tutoie au cours d'une semaine : employés, compagnons de travail, administrateurs des divers conseils d'administration auxquels elle participe, etc. Surprise ! Julie tutoie nombre de gens qui travaillent dans une foule de domaines.

Pour toucher des bénéfices personnels grâce au réseautage, il suffit de demander ce dont nous avons besoin et de démontrer de l'appréciation lorsqu'on l'obtient. Dans cet ordre. Et ça marche !

Les femmes à la tête d'une famille monoparentale sont passées maîtres dans l'art du réseautage personnel. Plusieurs d'entre elles ont recours aux membres de leur réseau pour obtenir des adresses de camps de vacances, pour organiser du covoiturage, etc.

Ma grand-mère avait l'habitude de dire que « d'ici à ce que l'on puisse faire de grandes choses, on peut s'exercer à faire les petites choses avec de grandes manières ». Il en va de même pour l'expression de ses besoins. Pourquoi ne pas vous exercer à exprimer vos besoins en débutant avec des requêtes anodines, qui ne mettront pas votre orgueil (et votre crainte du rejet) en cause ?

Par ailleurs, n'hésitez pas à appliquer des techniques qui ont fait leurs preuves dans le but de retirer des bénéfices personnels. Supposons que vous soyez inscrit à une réunion de type réseautage et que votre objectif avoué soit de rencontrer des gens et de remettre votre carte professionnelle à un certain nombre d'entre eux.

Au lieu de leur offrir de l'assurance de but en blanc, affichez votre plus beau sourire et glissez dans la conversation quelque chose comme : « Ma chatte a cinq mignons chatons que je compte donner d'ici quelques jours. Voici ma carte, au cas où vous connaîtriez quelqu'un qui serait intéressé à en adopter un. » Ou encore : « Je suis coiffeur et je viens de m'acheter un ordinateur. Je suis à la recherche d'un initié qui me guiderait dans mon apprentissage en échange de mes services professionnels. » Votre interlocuteur risque d'être aussi vert que vous dans cette matière, mais il y a fort à parier qu'il sera très heureux de faire profiter un copain de votre offre. Et surtout, peu importe les résultats obtenus, vous aurez établi un contact.

J'ai déjà entendu une comptable agréée offrir, dans une réunion du RFAQ, les services de sa perle de secrétaire le temps que durerait son congé de maternité, à condition qu'on la libère à temps pour la période des impôts. J'ignore si sa démarche a profité à sa secrétaire, mais elle a certainement rendu cette comptable sympathique. Longtemps après qu'elle eut accouché, on s'informait encore d'elle et de son bébé. Elle avait réussi à tisser des liens avec un bon nombre de consoeurs membres.

Pour avoir du succès dans le réseautage à caractère personnel, trois facteurs entrent en ligne de compte ; idéalement, les personnes doivent :

• cultiver des valeurs similaires ;

• viser des objectifs communs ;

• être disposées à partager des expériences avec les gens qu'elles rencontrent dans leur vie de tous les jours.

Il m'est toujours pénible d'entendre des gens se vanter de ne pas connaître — et de ne pas vouloir connaître — leurs voisins. Cette mentalité prévaut particulièrement dans les grandes villes, où chacun fait sa petite affaire sans se soucier des autres. Que d'incidents regrettables, surtout en ce qui a trait à la sécurité des biens et des personnes, auraient pu être évités si l'on s'était soucié de faire au moins la connaissance de ses voisins de palier ! À ceux qui affirment qu'il n'est pas toujours sécuritaire de révéler ses allées et venues aux voisins, je dirai que les avantages à le faire dépassent largement les risques.

Durant la crise du verglas de l'hiver 1998, *La Presse* publiait le témoignage d'un lecteur : « Voilà près de quatre ans que j'habite Ahuntsic. Pour la première fois, j'ai fait connaissance avec mes voisins, en poussant leur voiture, en déneigeant leur entrée, en donnant de l'eau en bouteille... Même un col bleu de la Ville de Montréal m'a aidé ! Ce sera triste quand tout redeviendra normal. »

2.4 LES BÉNÉFICES PROFESSIONNELS

La compagnie 3M est renommée pour ses innovations. Elle pourrait l'être tout autant pour sa propension au réseautage. La base même de la communication chez 3M tient dans la devise de l'entreprise : « Si vous avez besoin d'aide, tâchez de l'obtenir, peu importe où et comment. » Deux principes corollaires s'appliquent ici, soit :

1. Savoir où trouver l'information requise ;

2. S'assurer qu'elle soit disponible lorsque l'on en a besoin.

Dans un numéro du *Harvard Business Review*, Robert Kelley et Judith Caplan ont relaté les détails d'une étude conduite auprès d'ingénieurs de Bell Lab. L'étude visait à déterminer les attributs qui différenciaient de 15 % à 20 % de ces ingénieurs, considérés comme les « as », des autres ingénieurs dits « moyens ».

Daniel Goleman a rapporté les résultats de cette étude dans *Emotional Intelligence*. Le facteur le plus important s'est avéré le rapport que les « as » entretenaient avec un réseau de personnes clés. Les choses vont plus rondement pour les ingénieurs de premier plan parce qu'ils ont consacré du temps à cultiver des relations solides avec des gens dont les services peuvent être requis en période de crise.

Pourquoi est-il essentiel que les réseaux de ces scientifiques émérites soient efficaces ? Après tout, ces « as » n'appartiennent-ils pas à la race des êtres solitaires ? Quel besoin ont-ils d'un réseau ? Celui-ci leur est essentiel pour :

• savoir quand et où trouver des fonds pour la recherche ;

• joindre les meilleures personnes-ressources dans leur spécialité en vue d'obtenir une solution rapide à leurs problèmes ;

• savoir comment faire diffuser les brevets et les découvertes qui les rendront riches et célèbres ;

- favoriser les échanges avec leurs pairs et ainsi devenir à leur tour des personnes-ressources, des experts consultés et cités par les médias.

Comme quoi, si le réseautage n'est pas la science des fusées, il est fort utile même pour les scientifiques...

2.5 ET LE RÉSEAU INTERNE DE L'ENTREPRISE, QU'EN FAITES-VOUS ?

Bien qu'il soit crucial de savoir qui fait quoi dans son champ d'activité — concurrents, fournisseurs, membres de sa corporation professionnelle, etc. —, il est tout aussi important de consolider ses relations avec ses collègues de travail. Plus que jamais, pour être réellement efficace et réussir dans le monde des affaires, vous avez besoin du soutien et de la coopération des membres de la boîte, et ce, peu importe l'échelon où ils se situent.

Comment se porte votre réseau à l'intérieur de l'entreprise ? Pour le savoir, je vous suggère de dresser l'inventaire de tous vos partenaires — pairs, patrons, subordonnés — et d'évaluer le type de relations que vous entretenez avec chacun d'eux. Votre réseau interne devrait trouver des ramifications dans tous les segments de l'entreprise.

Si votre évaluation révèle des zones de faiblesse ou que vos relations sont quasi inexistantes, mettez-vous au travail sans tarder. Portez-vous volontaire pour un projet d'équipe, offrez votre aide aux membres de comités spéciaux et participez à tous les événements sociaux de l'organisation.

La relation la plus importante d'un réseau interne efficace sera sans doute celle que vous avez établie avec votre patron. Le type de rapport que vous entretenez avec ce dernier est un indicateur assez fidèle de votre succès professionnel. C'est non seulement la clé de votre avancement, mais également un indice de satisfaction personnelle au travail.

Prenez l'expérience de Jacques, qui compte 12 ans de loyaux services dans une importante agence de publicité. Au fil des ans, il a développé une relation solide, à la fois professionnelle et personnelle, avec Steve, son supérieur immédiat. Lorsque Jacques a été frappé par la sclérose en plaques puis, rapidement, confiné au fauteuil roulant, Steve s'est occupé de lui obtenir un poste dans un service qui exigeait moins de déplacements. Affecté aux ressources humaines, Jacques a pu ainsi prolonger sa carrière de quelques années.

Les relations entre pairs sont également très importantes. Ne perdez jamais de vue que votre compagnon de travail est peut-être votre futur patron, à moins que ce ne soit l'inverse. En fait, la pire chose que vous puissiez faire est d'ignorer entièrement le réseau interne. Rares sont ceux qui ont atteint le haut de la pyramide sans l'aide de personnes postées plus haut et plus bas qu'eux.

C'est par le réseautage interne que circule l'information informelle ; c'est grâce à lui que l'on arrive à saisir les règles non écrites qui prévalent dans les organisations. Les amis véritables que l'on s'y fait peuvent contribuer à élargir nos connaissances, nous fournir un soutien moral important durant les périodes difficiles, et même défendre nos intérêts à l'occasion. Ils se chargent de promouvoir nos talents et nos compétences de manière à ce que l'on soit reconnu. C'est souvent grâce à eux que l'on arrive à décrocher le poste convoité.

2.6 DE QUEL TYPE DE RÉSEAU AVEZ-VOUS BESOIN ?

John F. Kennedy allait bien au-delà du patriotisme, lorsqu'il a lancé la phrase désormais célèbre : « Ne demandez pas ce que le pays peut faire pour vous, mais plutôt ce que vous pouvez faire pour votre pays. » On pourrait dire la même chose de votre réseau.

Il ne suffit pas de savoir que vous avez besoin d'un réseau, il vous faut savoir à quelles fins vous comptez l'utiliser. Vous pourriez bien avoir besoin de réseaux différents pour répondre à des besoins variés.

Réaliser ses rêves ou atteindre ses objectifs nécessitent de l'aide, du soutien, bref, d'un réseau. Pas n'importe quel réseau toutefois.

Il va sans dire que la stratégie à mettre en place pour trouver un associé différera de celle à utiliser pour faire défendre vos intérêts de copropriétaire. Toutes choses étant possibles, quels seraient les objectifs que vous aimeriez atteindre à court terme ? N'écartez rien pour l'instant, mais tentez quand même d'être aussi précis que possible. Par exemple : j'aimerais faire de la plongée sous-marine dans les mers du Sud ; j'aimerais apprendre à danser le tango ; je voudrais que mon fils obtienne un emploi au club de golf, etc. Qui sait ? Il se pourrait bien que le seul fait de formuler votre requête tout haut génère des propositions inespérées. Exprimez toujours vos besoins.

CHAPITRE 3

Organisez votre réseau

Le réseautage est un processus de communication :
l'échange d'information et l'obtention
de conseils et de recommandations.
Ronald L. Krannich et **Caryl Ray Krannich,**
Network Your Way to Job and Carreer Success

N ous vivons une période difficile où les emplois permanents se font de plus en plus rares. Les mises à pied n'arrivent plus comme une surprise ; certains employés en sont avisés des mois, voire un an à l'avance. Les plus chanceux reçoivent leur avis de congédiement assorti de privilèges de consultation dans une firme de réaffectation. Dès leur première rencontre avec les conseillers en ressources humaines, on les incite à utiliser leur réseau pour faire savoir qu'ils sont disponibles et pour obtenir des renseignements qui les mettront sur la piste d'un nouvel emploi. Encore faut-il qu'ils aient un réseau...

À mon avis, tenter de bâtir un réseau au moment où l'on en a un urgent besoin, c'est comme se mettre au régime deux semaines avant d'aller à la mer. Bien sûr, on peut y arriver si l'on y investit beaucoup de cœur et d'énergie, mais les résultats obtenus seront rarement permanents. Rien n'est tout à fait gratuit en ce bas monde, et nul ne doit rien à personne. Aussi, mieux vaut «payer d'avance», quand tout va bien pour que, le moment venu, on se montre plus réceptif à votre égard.

Si, toute votre vie, vous avez mené une vie d'ermite, travaillé seulement le nombre d'heures requis sans vous préoccuper de donner un coup de pouce à votre voisin de cubicule, préféré manger seul dans un parc ou à votre bureau plutôt que d'aller souligner le départ d'un collègue au resto, si enfin vous n'avez jamais participé à une fête de bureau, préférant rentrer jouer dans votre collection de timbres, il y a fort à parier que le jour où vous serez mis à pied, ou même quand votre voiture tombera en panne en face du bureau, il n'y aura pas grand monde pour vous venir en aide.

3.1 L'INVENTAIRE DE VOTRE RÉSEAU ACTUEL

Si le réseautage est une méthode *organisée* de tisser des liens avec les gens que vos connaissances fréquentent, de façon à vous permettre d'élargir votre base de contacts, voyons comment vous pouvez organiser votre réseau.

3.1.1 Vos connaissances

Commencez par dresser la liste de toutes vos connaissances, à l'aide de l'**exercice 1** en fin de volume (page 113). Inscrivez-y le nom de toutes les personnes que vous connaissez, en ajoutant des catégories au besoin (personnel, communautaire, enfants, etc.). Si le nom d'une personne est pertinent à deux catégories, inscrivez-le sous chacune d'elles. Notez la nature de la relation d'aide que vous pouvez attendre de chaque personne : vous aidera-t-elle à solidifier vos acquis (vous songez à l'enrôler dans un conseil d'administration) ou à vous projeter sur un autre plan (elle agit dans un marché que vous convoitez)? N'hésitez pas à personnaliser cet exercice en y ajoutant adresses, numéros de téléphone, caractéristiques des personnes inscrites, lieu de rencontre, etc.

Attention! Inscrivez le nom de *toutes* vos connaissances, même si vous ne savez pas en quoi une personne peut éventuellement vous aider. L'avenir pourrait vous faire changer d'avis. Les propriétaires d'autocaravanes (Winnebago) et les gens qui détenaient une bonne provision de bois de chauffage ont vu leur cote d'amour monter de façon appréciable lorsque le verglas a paralysé plusieurs régions en janvier 1998. Pourtant, aucun d'entre eux n'aurait songé, quelques jours plus tôt, que son bois allait être la denrée la plus courue au sud de Montréal!

3.1.2 Les objectifs de vos activités de réseautage

Une fois que votre liste de connaissances sera dressée, déterminez dans quelle mesure ce réseau peut vous aider. Commencez par préciser les buts que vous vous êtes fixés. Ceux-ci doivent être **concrets** et **réalisables**.

Ne pas avoir d'objectifs précis de réseautage, fussent-ils modestes, c'est un peu comme se promener en auto sans destination précise. Si l'on est chanceux, on peut découvrir des coins intéressants mais, dans la majorité des cas, on aura brûlé de l'essence sans trop de résultat. Définissez vos objectifs au moyen de l'**exercice 2** en fin de volume (page 116), puis donnez-leur un ordre de priorité avec l'**exercice 3** (page 118).

Une fois l'exercice 3 terminé, reprenez l'exercice 1 et repérez les personnes qui pourraient vous aider. Si vous ne trouvez personne, sur votre liste, qui puisse répondre immédiatement à vos besoins, sélectionnez les individus qui pourraient vous aider ou, à tout le moins, vous fournir certaines pistes.

3.2 LES AMIS DE VOS AMIS SONT AUSSI VOS AMIS

Vous devez en arriver à découvrir qui vos connaissances fréquentent. Pour ce faire, il n'y a qu'un seul moyen : en parler, en parler, en parler. Demandez aux personnes qui figurent sur votre liste si elles connaissent quelqu'un qui détient ou pourrait détenir l'information que vous recherchez. Aidez-les à raviver leur mémoire ; il se peut qu'elles connaissent les gens qui pourraient vous aider, mais qu'elles n'en soient pas immédiatement conscientes. Pour ce faire, préparez-vous en revoyant vos notes écrites aux exercices 2 et 3. Vous devez exprimer clairement vos besoins en fournissant des exemples, si nécessaire.

Par exemple, imaginons que vous êtes à la recherche d'un camp de vacances pour votre préadolescent dont les champs d'intérêts principaux sont l'informatique et la vidéo. Vous avez déjà trop tardé à l'inscrire et il vous faut trouver rapidement l'endroit idéal. Comment faire ?

Vous aurez repéré dans votre liste (exercice 1) les parents d'adolescents, puis un autre tri vous amènera à réduire votre liste aux parents d'adolescents qui travaillent dans le milieu des nouvelles technologies ou qui, à tout le moins, en sont des adeptes (il y a des chances que leurs adolescents le soient devenus). Il ne vous reste plus qu'à parler à quelques-uns de ces adolescents. Il y a fort à parier que certains ont entendu parler de ce type de camp.

Mettez toutes les chances de votre côté en appelant les journalistes qui signent des chroniques sur les nouvelles technologies et les recherchistes qui travaillent à des émissions jeunesse. Comme votre demande tombera fort probablement dans une boîte vocale, livrez un message cohérent et concis. Et n'oubliez surtout pas de remercier la personne qui vous fournira l'information demandée. Car vous l'obtiendrez.

Une fois les personnes clés repérées, demandez à votre connaissance de vous les présenter ou de les prévenir que vous ferez sous peu des démarches auprès d'elles. Si ce n'est pas possible, écrivez une lettre expliquant votre démarche et le nom de la personne qui sert de lien. Si ni l'une ni l'autre de ces approches n'est envisageable, communiquez avec ces personnes par téléphone, mais assurez-vous auparavant d'être en mesure de leur fournir le nom de celui ou de celle qui vous a donné leurs coordonnées et de préciser l'objet de votre requête.

L'une des règles d'or du réseautage est que l'on ne peut pas se contenter de prendre : **il faut également donner**. C'est le principe même de l'échange. Il va sans dire que si vous avez bien mené votre enquête, vous avez une bonne idée de qui pourrait intéresser votre interlocuteur : sport, loisir, etc. Il pourrait être avantageux de pouvoir lui fournir, en guise d'appréciation, une information privilégiée susceptible de lui rendre service ou de faire office de retour possible d'ascenseur. Autant que possible, faites en sorte que votre marque de reconnaissance soit à la hauteur de la faveur obtenue.

Votre réseau manque de variété ?

 Si votre liste ne révèle absolument personne qui puisse vous aider à atteindre vos objectifs, trouvez les moyens à prendre pour élargir votre réseau et rencontrer les personnes susceptibles de vous faciliter la vie. Par exemple, participez à des colloques, assistez à des conférences, adhérez à une association multidisciplinaire (RFAQ, chambre de commerce, club de service), devenez membre d'une organisation professionnelle, d'un club de golf, etc.

Avant tout, considérez les multiples possibilités que vous offre votre milieu de travail :

• Enrichissez votre réseau de relations avec des personnes évoluant à l'extérieur de votre service. Ces contacts pourraient s'avérer utiles lorsque vous songerez à un déplacement latéral dans l'entreprise.

• Ne vous limitez pas, avec vos collègues, à des conversations strictement reliées au travail. Informez-vous davantage de leurs champs d'intérêt, de leur famille, etc.

• Participez à l'organisation des activités sociales de l'entreprise. À tout le moins, prenez-y part : elles sont autant d'occasions de mieux connaître votre entourage. Rappelez-vous que tout le monde a quelque chose d'intéressant à raconter.

• Portez-vous volontaire pour la campagne de souscription de Centraide dans votre milieu de travail ou pour solliciter des prix à remettre au tournoi de golf. En un mot, rendez-vous utile et visible. C'est une combinaison gagnante !

3.3 LA MISE À JOUR DE VOTRE INVENTAIRE

Parce qu'ils traitent du plan d'action, les **exercices 4** et **5** en fin de volume (pages 122 et 124) vous permettront de faciliter le suivi de vos démarches. Ils pourraient même constituer vos premiers outils de réseautage. En faisant ces deux exercices, tenez compte des observations suivantes :

• *Réévaluez.* Il vous faudra procéder à une réévaluation périodique de vos objectifs et de votre réseau. Vos besoins, vos priorités, vos contacts, vos valeurs, etc., changeront sans aucun doute avec le temps. Ce qui paraît important aujourd'hui ne le sera peut-être plus demain. Soyez à l'affût de ces changements et adaptez votre réseau en conséquence. Retenez que si votre réseau doit servir vos besoins, vous ne devez pas en devenir l'esclave.

- *Maintenez votre réseau à jour.* Ne retenez dans votre carnet d'adresses que les noms de ceux et de celles avec qui vous entretenez toujours des contacts. Surtout, gardez-le à jour. Il n'est cependant pas mauvais de conserver les anciens carnets au cas où. Assurez-vous de consulter les avis de nomination dans les journaux afin de noter les « déplacements » professionnels de vos contacts. Pendant que vous y êtes, pourquoi ne pas profiter d'une nomination pour envoyer un petit mot de félicitations ?

- *Jouez aux cartes !* Collectionnez les cartes professionnelles et classez-les systématiquement. Ne vous fiez pas uniquement à votre mémoire : écrivez au verso des cartes les points d'intérêt communs entre son propriétaire et vous, les occasions d'affaires, les sujets de conversation abordés, etc.

- *Revenez à la charge.* Donnez suite à une première rencontre par un coup de fil, une note envoyée par la poste, un message par courrier électronique ou une invitation à luncher. Tout le monde aime recevoir des marques d'appréciation... à condition qu'elles soient sincères.

- *Gardez le contact.* Une note envoyée à l'occasion d'un anniversaire est idéale. Une photo prise à l'occasion d'une rencontre sociale est souvent appréciée ; des billets pour un concert ou une partie de baseball, encore plus !

- *Sortez pour le lunch.* Mettez-vous au défi d'ajouter une ou deux personnes à votre réseau chaque mois. Les réseaux ne se développent pas instantanément ; il faut y travailler constamment. Plusieurs personnes considèrent que manger seul est une perte de temps. Imaginez : 49 semaines de travail, moins quelques jours de congé, ça vous laisse 225 repas à optimiser pour nouer des relations et pour consolider des amitiés !

- *Enrichissez-vous.* Augmentez vos contacts en étant actif au sein de réseaux établis, en prenant part à des ateliers ou à des colloques et en participant à un maximum d'activités sociales. Ces démarches vous mettront en contact avec des gens qui partagent vos champs d'intérêt ou vos objectifs. Les personnes-ressources qui y sont présentées peuvent s'avérer d'excellentes sources de renseignements. Par la suite, rappelez-vous à leur bon souvenir : elles ont souvent consacré de longues heures à se préparer et apprécieront un petit mot de reconnaissance.

- *Partagez.* Comparez vos notes et partagez vos ressources avec vos collègues et amis. Rappelez-vous que vous devez à la fois donner et recevoir.

- *Qu'est-ce que l'on dit ?* N'oubliez surtout pas de remercier les gens qui vous ont aidé ! Dans l'impossibilité de le faire en personne, une lettre ou un coup de fil sera toujours reçu avec gratitude.

Souvenez-vous que le réseautage n'est pas une prise en charge et que vous devrez toujours y mettre du vôtre. Néanmoins, en réussissant à parler plus rapidement aux bonnes personnes, vous obtiendrez plus facilement l'aide ou l'information recherchée.

3.4 VOUS FAITES PARTIE DU RÉSEAU DES AUTRES

Développer son réseau, c'est aussi être membre du réseau d'autres personnes.

Vous serez donc souvent sollicité. Quels privilèges accorderez-vous ? Surtout, quelles demandes devrez-vous rejeter (nous discuterons de cette question au chapitre 7) ? Ce qui compte pour l'instant est de noter et de classifier toutes vos interventions.

Pour ce faire, inscrivez dans un carnet ou sur une fiche le nom, l'adresse, le numéro de téléphone, l'employeur et la position de la personne à qui vous avez rendu service, de même que la description de ce service et la date à laquelle il a été rendu. Votre assiduité à consigner ces données vous permettra, d'une part, d'évaluer votre contibution au réseau des autres (les gens sollicitent le plus souvent mon aide pour tel ou tel type de service) et, d'autre part, d'aller directement vers les personnes à qui vous avez accordé votre aide lorsque, à votre tour, vous en aurez besoin. C'est ce que l'on appelle les « retours d'ascenseur ».

Mais avant même de songer à demander, il serait bon de dresser l'inventaire de ce que vous avez à offrir. Pensez à faire le bilan de vos forces, de vos compétences, de vos biens susceptibles d'être partagés. Pourriez-vous en faire profiter vos relations ?

Si vous avez du mal à cerner vos forces, notez les compliments que l'on vous adresse. Écrivez-les pour vous en souvenir : on a parfois la mémoire courte quand il s'agit de se vendre ! Surtout, n'hésitez pas à en faire bon usage. Par exemple : Mes connaissances technologiques sont limitées, mais je sais comment programmer un magnétoscope. Je n'ai pas suivi de cours de mécanique, mais je sais comment vérifier le niveau d'huile de ma voiture. Je n'ai rien d'un chef cuisinier, mais j'apprête les restes avec art. Vous seriez surpris du nombre de personnes que ces « talents » ont dépannées.

En fait, nous avons tous des talents qui pourraient être mis au service d'autrui. Songez-y une minute. À quand remonte la dernière fois où l'on vous a demandé le nom d'un bon restaurant, de votre dentiste, d'une couturière, d'un planificateur financier ? Ne sous-estimez pas les contributions que vous pouvez apporter à votre réseau. Ceux qui y réussissent le mieux ignorent souvent qu'ils font, chaque fois, du réseautage : ils sont naturellement généreux de leur savoir.

C'est quand tout va bien que l'on bâtit son réseau. On ne songerait pas à s'arrêter au guichet automatique avant d'avoir fait des dépôts ;

demander de l'aide ou de l'information privilégiée à une personne que l'on n'a jamais côtoyée est beaucoup plus difficile que de s'adresser à un ami, à un compagnon de travail, voire à un voisin que l'on salue matin et soir.

CHAPITRE 4

Le profil du bon réseauteur

Il faut établir des contacts qui soient mutuellement
satisfaisants, utiles et enrichissants.

H. S. Khalsa,
Ecowater Systems

J e connais des gens qui refusent de faire du réseautage sous prétexte qu'ils ne veulent pas être tenus responsables si les conseils
qu'ils donnent ou les références qu'ils fournissent se révèlent
infructueux. Personne ne vous arrachera les ongles si vos recommandations ne portent pas fruit. Si l'on ne prend pas de risque dans la vie,
on ne va pas bien loin. En fait, le plus grand risque, de nos jours, est
de ne pas en prendre. Je recommande quelqu'un pour un poste et ça ne
marche pas ? Je suis désolée et je le fais savoir. Quelles que soient les
raisons — et elles peuvent être nombreuses — pour lesquelles la personne que j'ai suggérée n'a pas été retenue, elles demeurent tout à fait
indépendantes de ma volonté. Sans compter que la responsabilité finale
appartient toujours à l'employeur. Est-ce que je continue à faire des
recommandations ? Absolument !

4.1 DES QUALITÉS INDISPENSABLES

Je ne saurais faire un meilleur portrait du bon réseauteur que celui que nous en avait brossé l'Américaine Donna M. Reed, fondatrice de Resources for Women et experte en réseautage, à l'occasion de la conférence de clôture du colloque de l'Association des femmes d'affaires du Québec (1993), tenu sous le thème *Tisser son réseau, préparer son avenir*.

- *Cette personne est curieuse.* Toujours au courant de tout, elle regarde, écoute, voit les gens et les événements d'un œil différent, voire nouveau. Sa curiosité lui permet de saisir des occasions que les autres ne remarquent même pas. Elle maîtrise l'art de poser des questions qui trouveront des réponses.

- *Cette personne a le sens de l'intégrité.* Elle possède une règle d'or : on récolte ce que l'on a semé. Elle s'efforce donc d'être juste et honnête en affaires. Ce faisant, elle dort mieux la nuit, voit ses affaires prospérer tout autant que se tissent d'agréables relations.

- *Cette personne possède un sens aigu du « bon moment ».* Les Anglais disent « avoir du *timing* ». Sentir le bon moment pour agir, pour offrir ou pour demander quelque chose peut être la clé ! Cela implique bien sûr une grande sensibilité aux besoins, aux frustrations et aux humeurs des autres.

- *Cette personne sait que le secret d'une bonne action-réseau est... l'action.* Les contacts recherchés sont quelque part là-bas... mais elle sait qu'ils ne tomberont pas du ciel sur son bureau !

- *Cette personne s'organise.* Elle ne se contente pas d'emmagasiner une montagne d'informations, de noms, de contacts et d'idées ; elle sait précisément où les trouver chaque fois qu'elle en a besoin.

- *Cette personne possède des ressources et les partage.* Elle découvre continuellement toutes sortes de contacts, de regroupements ou de bonnes adresses ; elle les utilise et accepte volontiers d'être une personne-ressource pour les autres.

- *Cette personne détient des connaissances et les partage.* Elle apprend continuellement, chaque fois qu'elle en a l'occasion, et ce, dans les domaines les plus variés. Dans notre société, l'information devient, pour ceux qui la détiennent, une source de pouvoir. Information et savoir sont les clés du succès.

- *Cette personne est enthousiaste.* L'enthousiasme est une qualité contagieuse qui génère une énergie positive. Les personnes enthousiastes accomplissent des prodiges grâce à leur énergie et à leur attitude positive. On ne recherche pas la compagnie des êtres taciturnes ou négatifs.

- *Cette personne a le sens des responsabilités.* Elle a cessé depuis longtemps de compter sur la bonne fée qui la conduira vers le succès. Elle s'assure d'en être une pour elle-même ! Elle sait qu'elle est responsable de sa vie.

On se plaît à dire que le réseautage est un art. Au fil des ans, j'ai été à même de constater que les pros du réseautage détiennent un savant dosage de **personnalité**, d'**attitude** et de **savoir acquis**. J'ajouterai, au profil tracé par madame Reed, quelques traits qui m'apparaissent pertinents :

- *Cette personne est proactive.* Elle ne perd pas son temps à réagir aux critiques et aux plaintes des autres, car elle est trop concentrée sur sa vision.

- *Cette personne est généreuse.* Elle cherche des façons de donner ou d'aider de façon désintéressée.

- *Cette personne est honnête.* Elle sait que le manque d'intégrité abîme, pervertit et détruit. La colonne vertébrale d'un réseau, ce sont les contacts et les relations. Sa survie et sa croissance dépendent de l'intégrité de ses membres.

• *Cette personne a confiance.* Elle a confiance en elle-même et fait confiance aux autres. Elle voit ce qui est bon en elle, comme chez les autres. Un climat de confiance rend les gens vulnérables. Accepter d'être vulnérable est une autre forme d'intégrité. En étant assez honnêtes pour mettre au jour notre vulnérabilité, nous ne sommes pas faibles, mais simplement humains.

• *Cette personne utilise son réseau à bon escient.* Elle n'abuse pas des membres de son réseau. Elle prend le temps d'établir des liens et des rapports avec les gens avant de solliciter leur concours. Elle n'est pas possessive envers ses amis et ses relations.

• *Cette personne sait remercier et donner le crédit aux personnes qui y ont droit.* Elle n'hésite pas à partager les feux de la rampe. Elle ne tient rien pour acquis. Elle critique avec parcimonie et félicite sans compter.

4.2 DES RÉFLEXES À DÉVELOPPER

Si l'on ne naît pas forcément réseauteur, on peut le devenir. Il suffit de s'y appliquer et d'éviter les écueils classiques auxquels se buttent plusieurs néo-réseauteurs. Voici quelques réflexes à développer pour être plus efficace :

• *Préciser ses besoins, ses attentes.* Seuls les romans nous permettent de lire les pensées des personnages. Dans la réalité, si vous ne dites pas clairement ce que vous cherchez ou ce dont vous avez besoin, vous risquez fort de demeurer la seule personne à le savoir. Pour tirer profit de son réseau, on doit renoncer à notre crainte — presque un réflexe culturel chez les femmes — de déranger les gens en leur faisant part de nos besoins et à notre désir de ne rien devoir à quiconque.

C'est ainsi qu'Yvon a vu filer une aubaine quand son voisin a vendu sa voiture à prix d'ami à quelqu'un d'autre. Yvon n'avait jamais cru bon de lui faire part de son désir d'acheter une voiture d'occasion.

N'ayant jamais fait part à quiconque qu'elle planifiait un voyage d'affaires à Chicago, Juliette a passé deux longues soirées seule dans sa chambre d'hôtel. À son retour, elle a appris que la sœur de son coiffeur habite cette ville depuis quelques années et qu'elle lui aurait volontiers servi de guide, tout en prenant des nouvelles de Montréal.

- *Préparer ses déplacements.* En parler ne suffit pas. Nos contacts, notre appartenance à un groupe peuvent aussi nous ouvrir des portes en territoire inconnu. Par exemple, Jean-Marie ne se déplace jamais vers une ville américaine sans s'informer du lieu et du jour où aura lieu le dîner hebdomadaire du Club Kiwanis local. Il s'organise toujours pour y assister. Vous ne sauriez imaginer le nombre de relations qu'il y a tissées au cours des années !

- *Voir loin.* Combien de fois avons-nous l'occasion de fraterniser avec des inconnus à l'occasion de congrès, de séminaires ou même en vacances ? Combien d'entre eux avons-nous laissé sortir de notre vie sans lever le petit doigt ? Je garde toujours les coordonnées des participants aux colloques et aux congrès auxquels j'ai assisté. Si j'ai besoin d'une information susceptible d'être fournie par l'un d'eux, je n'hésite pas à lui téléphoner ; j'ai rarement été déçue de la collaboration obtenue. Je fais de même lorsque je m'arrête dans leur coin de pays, où ils m'offrent des possibilités de rencontres intéressantes.

Avant de quitter un séminaire, pourquoi ne pas échanger son numéro de téléphone avec des confrères et des consœurs ? Il y a de fortes chances qu'au retour vous ne puissiez mettre en pratique qu'un faible pourcentage de ce que vous avez appris durant le séminaire et il en sera sans doute ainsi pour les autres participants. Vous serez heureux d'en discuter avec quelqu'un qui vit la même chose que vous.

• *Parler, parler, parler...* Chaque fois que vous devez répondre à un besoin, exprimez-le clairement et lancez le tout dans l'univers ; vous serez surpris de voir avec quelle facilité il sera comblé ! L'un des grands pièges du réseauteur novice est de trop attendre des membres de son réseau de première ligne. Les solutions peuvent tout aussi bien provenir des contacts de ces personnes. Montréal a connu, durant l'été 1991, des canicules mémorables, à tel point que la plupart des boutiques de l'agglomération montréalaise ont manqué de chemisiers à manches courtes. Gisèle, propriétaire de l'une de ces boutiques, s'est mise au téléphone, répertoire des membres du RFAQ en main, et a communiqué avec toutes les propriétaires de boutiques situées en région. Elle a ainsi récupéré suffisamment de marchandise pour accommoder sa clientèle, et probablement soulagé des consœurs qui s'apprêtaient à solder la leur.

Le réseauteur raseur

Celui qui ne devrait pas faire de réseautage — et qui nuit carrément à cette pratique — est celui qui ne fait que prendre, qui s'attend à récolter avant d'avoir semé. Toujours en quête de recommandations, ce raseur vous harcèle pour que vous lui facilitiez l'accès à votre cercle de relations et ramène toutes les conversations à son produit ou à son service. En un mot, il se conduit comme une peste et se garde bien de retourner l'ascenseur. Le réseauteur raseur finit toujours par vous dire que le réseautage n'est pas si profitable qu'on le pense. Il n'a pas tort... en ce qui le concerne !

Une seule consigne : fuyez ce raseur et, surtout, n'en devenez pas un !

4.3 ÊTES-VOUS UN BON RÉSEAUTEUR ?

S'il n'est pas donné à tout le monde d'être un réseauteur accompli, tous peuvent le devenir. Évaluez votre performance et, au besoin, rectifiez le tir ! Répondez, honnêtement, aux questions selon le barème suivant : jamais (1 point) ; parfois (2 points) ; toujours (3 points).

1. Je m'investis concrètement au sein d'un comité, de ma corporation professionnelle, d'un conseil d'administration ou autre. _____

2. Lorsque je rencontre une personne, je reprends contact avec elle peu après au moyen d'une lettre, d'un appel téléphonique, d'une invitation à luncher, etc. _____

3. J'ajoute au moins un nouveau contact à ma liste chaque semaine. _____

4. Lorsque je veux offrir un cadeau à l'un de mes contacts d'affaires, je le connais assez pour avoir une bonne idée de ce qui lui ferait plaisir. _____

5. Je contribue à la mise à jour du fichier de mes contacts en les avisant de tout changement de coordonnées et en les informant de la progression de ma carrière et de celle de mon entreprise. _____

6. Lorsque l'on me demande le nom d'une personne-ressource dans un domaine particulier, je peux facilement la repérer dans ma banque de contacts. _____

7. Je connais mes forces et le type de ressources que je peux offrir aux autres. _____

8. Je suis courtois avec toutes les personnes que je côtoie, peu importe la place qu'elles occupent dans l'entreprise. _____

9. Si l'on me laisse un message, je rappelle en moins de 24 heures. _____

10. Je demande régulièrement le soutien des autres. _____

TOTAL : _____

RÉSULTATS

De 27 à 30 points. Vous « réseautez » comme d'autres chantent : naturellement ! Vos contacts sont nombreux et ils savent qu'ils peuvent compter sur vous en cas de besoin. N'abandonnez pas votre lecture pour autant : vous découvrirez, dans les prochains chapitres, comment maximiser vos activités de réseautage.

De 18 à 26 points. Vous avez ce qu'il faut pour bâtir et pour élargir votre réseau, mais vous manquez de conviction. Prudence ! Votre relâchement pourrait bien vous coûter l'occasion que vous attendez depuis longtemps. Le chapitre suivant vous indiquera quels sont les outils de base susceptibles d'améliorer votre profil de réseauteur.

De 10 à 17 points. Peut-être souffrez-vous de timidité, à moins que vous ne soyez du type autonome à tout crin. Gare à vous ! Les cowboys solitaires n'ont plus la cote, et les personnes-ressources de l'avenir tissent aujourd'hui leur réseau. Commencez dès maintenant à voir vos contacts différemment. Les exemples présentés dans cet ouvrage vous démontreront qu'un petit geste peut mener loin.

CHAPITRE 5

Passez à l'action !

Les réseaux réunissent les besoins et les ressources,
les problèmes et les solutions, les idées et les réalisations.

Donna M. Reed,
Resources for Women

Pour tirer le maximum de votre réseau et atteindre vos objectifs, vous devez en gérer efficacement l'information. Que vous utilisiez un fichier rotatif, un logiciel de gestion de contacts, un agenda ou un simple porte-cartes importe peu. L'important est d'organiser l'information recueillie de la façon la mieux adaptée à *votre* style de travail. Vous aurez beau tenir des tiroirs de renseignements, ceux-ci s'avéreront inutiles si vous ne savez pas comment y avoir accès rapidement. Il n'y a pas de mauvais systèmes, il n'y a que des systèmes efficaces et inefficaces.

Prenez vos cartes professionnelles : leur classement est-il à jour ? Pourtant, celui-ci en dit long sur l'efficacité de votre réseau. Peu importe la méthode que vous utiliserez, faites-vous un devoir de la réviser au moins deux fois l'an. Après six mois, vérifiez si votre système de gestion de l'information convient toujours à vos besoins et corrigez ce qui doit l'être.

Une erreur courante consiste à éparpiller — au risque d'égarer — des renseignements précieux : n'abandonnez surtout pas un mémo ou des cartes professionnelles dans vos poches ou sur votre bureau. En outre, vous seul devriez gérer votre système. Personnellement, je ne laisserais pas ce travail à ma secrétaire si j'en avais une. Chaque fois que je « brasse » mes cartes, il me vient toujours des idées de contacts à établir.

L'auteur et conférencier Tom Peters affirme que le pouvoir est directement proportionnel au contenu de votre fichier rotatif et au temps que vous passez à le maintenir à jour. À vrai dire, les individus les plus influents que connaît Tom Peters comptent parmi les meilleurs réseauteurs. Ils connaissent des gens de tous les milieux et lunchent régulièrement avec la majorité d'entre eux.

 J'utilise différents types de classement. Je regroupe dans un porte-cartes (reliure munie de petites pochettes de vinyle) les cartes professionnelles recueillies en Arizona, parce que je m'y rends régulièrement. J'en tiens un autre qui contient les cartes des personnes rencontrées en voyage. Je précise, au verso de chaque carte, la date à laquelle je l'ai reçue et les circonstances de la rencontre. Une troisième reliure regroupe les cartes des femmes amatrices de pêche, de jazz, etc. Je consulte l'une ou l'autre selon l'objectif que je poursuis.

5.1 VOTRE PLAN DE MATCH

Établir clairement ses buts et ses priorités est toujours utile dans la vie en général, mais il devient primordial lorsqu'il s'agit d'utiliser un réseau de façon efficace. Vous songez à réorienter votre carrière ? Vous entretenez l'idée de faire de votre passe-temps favori votre futur gagne-pain ? Vous travaillez de votre domicile et aspirez à la synergie d'une équipe ? Vous aimeriez trouver un travail d'été à votre adolescent ? Un plan de match s'impose. La chance, dit-on, c'est la préparation qui rencontre l'occasion.

Si vous désirez vous faire inviter comme conférencier, vous devrez courtiser la personne ou les membres du comité qui font ce choix. Vous devez déménager votre petite famille dans une autre ville et aimeriez en savoir plus sur les écoles, les quartiers résidentiels et les loisirs qui y sont offerts ? C'est grâce à un réseau que vous atteindrez le plus rapidement ces objectifs. Dans ce dernier exemple, votre agent immobilier, vos nouveaux collègues de travail ou le ministre du culte sont des personnes qui peuvent vous guider dans vos démarches. Certaines villes disposent de réseaux officiels voués à cette fin ; c'est le cas de Tucson, en Arizona, où l'organisation Resources for Women offre un service d'accueil aux nouveaux résidants.

Je ne saurais « fonctionner » sans la version Windows de ACT !, un logiciel de gestion de contacts qui fait également office d'agenda électronique et de traitement de textes. Il peut même composer à ma place les numéros de téléphone et de télécopieur que j'y ai programmés. Cependant, je ne détruis pas mes cartes professionnelles pour autant ; certaines d'entre elles montrent même l'usure du temps ! Si les coordonnées changent, je conserve l'ancienne carte et l'agrafe à la plus récente en prenant bien soin d'inscrire la date à laquelle je l'ai obtenue. Cette façon de procéder m'a bien servie jusqu'ici et fonctionne à merveille pour suivre l'évolution d'une carrière.

Comme tout bon plan de travail, votre plan de match nécessite un échéancier. Déterminez un échéancier précis pour l'atteinte de vos objectifs et révisez-le souvent. Voyez de quelle façon vos réseaux actuels peuvent vous aider. Peut-être devrez-vous songer à intégrer un nouveau réseau. Lequel vous semble le plus approprié ? Quels en sont les critères d'admissibilité ? Quel laps de temps vous accordez-vous pour atteindre vos objectifs ? Combien d'heures pourrez-vous y consacrer ? N'allez surtout pas vous joindre à une association qui exige des rencontres hebdomadaires si votre emploi du temps ne vous le permet pas ! Sitôt votre échéancier établi, passez à l'action. Soyez patient ; inutile de secouer l'arbre, le fruit tombera lorsqu'il sera mûr.

À partir du moment où l'on commence à « jouer réseau », on ne peut s'y soustraire sans pénalité. Quand on s'investit dans de nouvelles relations, on ne les abandonne pas abruptement, quelle qu'en soit la raison. Le risque de laisser un goût amer à l'entourage est trop grand. Beaucoup de femmes, devenues enceintes, cessent leurs activités de réseautage en même temps qu'elles quittent leur travail. Comme si la Terre allait cesser de tourner en leur absence ! Et que dire des chefs d'entreprise qui prennent leur retraite et négligent d'assurer leur relève au sein des associations et des clubs sociaux qu'ils avaient l'habitude de fréquenter ? De nos jours, lorsque l'on cesse de voir quelqu'un que l'on avait l'habitude de croiser régulièrement, on se demande inévitablement si cette personne est toujours en affaires.

Par ailleurs, on investit dans son réseau comme on investit dans son entreprise : on doit s'en occuper pour en tirer des bénéfices. Si vous avez dressé un plan d'action et établi un échéancier, le moment est venu d'y assortir un budget. En procédant de la sorte, les cotisations et les frais engendrés par les petits déjeuners du réseau, les lunchs causeries, les soirées-bénéfice et autres occasions où vous êtes susceptible de rencontrer des gens et de créer de nouvelles relations seront plus facilement perçus comme des « investissements » que comme des « dépenses ». Si la facture reste inchangée, votre attitude, elle, s'en trouvera grandement améliorée !

5.2 VOS OUTILS DE RÉSEAUTAGE

Aussi efficace que puisse être votre système de gestion de l'information, vos nouvelles relations, elles, ne bénéficient pas forcément de votre sens de l'organisation. Si les contacts d'affaires se font en personne, les gens que vous rencontrez n'ont pas tous une mémoire d'éléphant. Passé la première rencontre, ils se souviendront davantage de vous si vous utilisez vos outils de réseautage à bon escient : carte professionnelle, curriculum vitæ, brochure, etc., sont autant de façons de laisser votre marque auprès des gens avec qui vous désirez entretenir des relations.

Votre stratégie de réseautage doit aussi tenir compte de l'impression que vous laissez, que ce soit par vos propos, votre présentation ou le suivi que vous effectuez après la première rencontre.

5.2.1 La carte professionnelle

Même les gens sans emploi devraient avoir une provision de cartes professionnelles, ne serait-ce que pour laisser rapidement leurs coordonnées à quiconque pourrait être en mesure de répondre à l'un de leurs besoins. On peut désormais s'en procurer rapidement au rayon des articles de bureau des grandes surfaces, dans les papeteries ou dans les commerces de reprographie.

Si les cartes professionnelles avec photo ne relèvent pas toujours du meilleur goût, elles sont bien pratiques, surtout lorsque vient le temps de décrire quelqu'un. Je suis plus critique à l'égard des cartes qui sont quasi illisibles et de celles qui ne fournissent aucun indice valable sur l'activité de leur propriétaire. L'excès inverse n'est guère mieux : l'abondance de renseignements sur une carte me prive d'espace pour y griffonner mes petites notes personnelles !

Je peux comprendre que, par prudence, les professionnels qui reçoivent des clients sur rendez-vous, choisissent de n'inscrire que leur numéro de téléphone. Personnellement, ça ne m'inspire pas confiance.

J'aime bien avoir une idée de la localisation de la personne, à tout le moins un nom de quartier sinon de ville.

Enfin, il vaut mieux avoir deux cartes professionnelles différentes que de réunir sur une seule deux occupations sans rapport entre elles. À quoi songez-vous devant la carte d'un professeur de mathématiques masso-thérapeute ou d'un photographe spécialisé en aménagement paysager ? Qui trop embrasse, mal étreint.

La carte professionnelle est un peu comme notre photo. Il ne faut pas l'imposer à qui que ce soit. Idéalement, elle devrait être **désirée**. Déposer sa carte sans discernement sur les tables, à l'occasion d'une activité de réseautage, est du plus mauvais goût. Il en va de même pour les brochures, fussent-elles en quatre couleurs. Pour ma part, j'aime voir la nappe lorsque je mange. La plupart des organisateurs d'activités de réseautage prévoient un endroit pour ce type d'étalage.

Si votre nom de famille est rare ou présente une orthographe singulière, gardez toujours vos cartes professionnelles à la portée de la main. Vos interlocuteurs seront soulagés de pouvoir lire, et ainsi mieux comprendre, le nom qu'ils viennent d'entendre.

5.2.2 La brochure ou le dépliant

Grâce aux nouveaux procédés de reprographie, il n'est plus nécessaire de commander des quantités industrielles de matériel promotionnel. Cependant, même si vous ne faites produire qu'une petite quantité à la fois, assurez-vous que le matériel soit de qualité.

Votre documentation professionnelle doit être simple, concise et sans fautes. Elle reflète l'image de votre entreprise et de votre profession, tant par sa facture que par son importance. Par exemple, ne tentez pas de rivaliser avec les géants en produisant une brochure en quadrichromie sur papier glacé alors que vous gérez votre entreprise depuis votre sous-sol. Ne vous empêchez pas de faire montre de créativité pour autant. Si vous doutez de vos talents de créateur, confiez ce travail à des professionnels : vous y gagnerez du temps et serez surpris de constater à quel point un expert de la communication aura tôt fait de cerner vos besoins et de convertir le tout en une image flatteuse, mais réaliste.

Vous évoluez dans un domaine hautement compétitif ? Faites valoir votre vision personnelle des choses : votre mission d'entreprise, ce que vous faites de mieux ou de différent des autres. Pour éviter des frais inutiles, assurez-vous d'avoir fait cette réflexion avant de rencontrer votre conseiller en communication.

5.2.3 Le curriculum vitæ

Tout le monde devrait procéder à une mise à jour de son curriculum vitæ au moins une fois l'an. On croit à tort que ce dernier n'est utile qu'en recherche d'emploi. Je ne compte plus le nombre de personnes qui ont manqué le train parce qu'elles n'avaient pas de curriculum vitæ ou simplement parce qu'il était désuet au moment où elles en ont eu besoin.

Au Réseau des femmes d'affaires du Québec (RFAQ), nous encourageons nos membres à nous fournir une copie de leur curriculum vitæ. La raison est simple : on fait régulièrement appel au RFAQ pour dénicher des candidates susceptibles de siéger à des conseils d'administration ou désireuses de participer à des émissions de radio ou de télévision, ou encore de collaborer à des reportages journalistiques. Avant de faire leur choix, les recherchistes veulent connaître les réalisations des candidates pressenties.

Votre curriculum vitæ peut aussi faire de vous un gagnant. De plus en plus d'organismes lancent des concours pour faire valoir les réalisations de diverses catégories de gens d'affaires : administrateur, entrepreneur, femme ou homme d'affaires de l'année, etc. Combien de candidatures remarquables restent dans l'ombre parce que les personnes concernées trouvent trop difficile de fournir un curriculum vitæ à jour ? Invoquant un manque de temps ou un manque d'intérêt pour ce type de visibilité, ces mêmes personnes sont les premières à constater, une fois les gagnants connus, que leur entreprise aurait pu l'emporter. Rappelez-vous : quand on ne joue pas, on ne risque pas de gagner !

5.2.4 Le bulletin d'entreprise

Le bulletin d'entreprise — à distinguer du journal interne — est un excellent moyen de rester présent à l'esprit des décideurs et des clients actifs ou éventuels. Selon Michel Dufour, de Communications Dufour Radmanovich, l'expérience prouve que, en cas de besoin, les décideurs ont tendance à confier un mandat ou une commande au dernier fournisseur à qui ils viennent de parler ou dont le nom vient à l'esprit spontanément. C'est donc dire l'importance de demeurer présent dans les réseaux de décideurs. Vous augmenterez vos chances de succès si vous prenez les moyens pour que ce nom soit le vôtre.

Le bulletin d'entreprise peut prendre des formes diverses, du simple feuillet, transmis par télécopieur, à la brochure de 16 pages imprimée en quadrichromie. On peut y trouver des nouvelles de votre entreprise, ses activités, ses réalisations, de même que des renseignements sur vous, en tant que leader de cette entreprise. Idéalement, votre bulletin sera agrémenté de photos, de diagrammes et de tableaux, et pourra même présenter des témoignages de clients satisfaits.

Certains bulletins adoptent un style décontracté, parfois humoristique ; d'autres, de facture plutôt institutionnelle, sont rédigés dans un style plus conservateur. Dans tous les cas, insiste Michel Dufour, on usera de bon goût et la terminologie utilisée sera accessible, puisque l'on destine le bulletin aux clients, mais également aux fournisseurs, aux amis et aux employés.

Pour améliorer le contenu du bulletin d'entreprise, il n'est pas défendu de questionner les lecteurs. Un petit sondage maison, au téléphone ou par carte-réponse insérée dans la publication, vous donnera l'heure juste quant à sa pertinence et vous permettra de réajuster le tir au besoin.

Vous pourriez aussi demander à vos clients, fournisseurs et amis d'afficher, dans leurs installations (usines, bureaux, entrepôts, etc.), une copie de votre bulletin ou de le déposer dans des endroits stratégiques (réception, salle de conférence, cafétéria, cuisinette, salle de repos, etc.). Vous augmenterez ainsi votre lectorat, mais vous devrez fournir le nombre d'exemplaires nécessaires, ce qui augmentera évidemment vos coûts. Au besoin, revoyez vos objectifs initiaux.

La mise en place d'un bulletin d'entreprise ne s'improvise pas. Elle demande une période de réflexion, de planification et, surtout, elle doit répondre à un besoin. Dans la plupart des cas, il s'agit là d'une tâche ardue et l'aide d'un professionnel est souvent indiquée. L'autre difficulté réside dans les ressources humaines, matérielles et financières nécessaires pour mener ce projet à bon port. Ce n'est pas tout de mettre un bulletin d'entreprise au monde, encore faut-il l'alimenter et assurer sa croissance.

Cependant, ceux qui ont tenté l'expérience et qui ont connu du succès avec un tel outil de réseautage et de communication vous confirmeront que l'effort en valait la peine. Et ce qui n'est pas souvent dit, c'est qu'à l'intérieur de l'entreprise, les employés s'enorgueillissent du succès d'un tel bulletin et deviennent parfois les meilleurs ambassadeurs de leur employeur.

Les sept clés du succès de votre bulletin d'entreprise

Si le style de votre bulletin d'entreprise dépend largement de votre profil et de votre secteur d'activité, certaines règles incontournables s'appliquent :

1. La qualité de la langue. Votre bulletin doit être bien rédigé, dans un français impeccable. L'image que vous tentez de projeter en dépend. Si vous n'êtes pas rédacteur professionnel, ne songez même pas à écrire les textes vous-même : vous vous rendriez un mauvais service. Faites appel à un professionnel de la communication ou à quelqu'un de votre entourage qui possède les compétences voulues en rédaction.

2. La qualité visuelle. Votre bulletin doit être attrayant et agréable à lire. La mise en pages sera soignée, les photos claires, accompagnées de légendes qui identifient bien — et sans faute ! — le nom et le titre des personnes qui y apparaissent. Encore ici, il vaut mieux confier ce travail à des professionnels.

③ La qualité éditoriale. Prenez garde au contenu trop personnel, trop détaillé ou trop austère. Informez vos lecteurs de vos projets et mandats, faites-leur connaître les prix que vous avez remportés, donnez-leur des nouvelles des membres de votre personnel (promotions, naissances, mariages, décès) et des tendances de votre industrie. Dans certains cas, il n'est pas exclu d'y joindre quelques adresses de bons restaurants recommandés par votre personnel ou d'inviter les lecteurs à visiter le stand que vous occuperez dans une foire commerciale organisée par l'industrie dans laquelle vous évoluez.

Voici, à titre indicatif, d'autres sujets dont vous pourriez traiter : votre performance en santé et sécurité au travail, vos investissements en technologie, la formation de vos employés, vos résultats financiers, vos programmes de qualité ou de protection environnementale, etc.

④ La pertinence. Si le bulletin sert à communiquer à vos publics cibles des renseignements qui servent de près ou de loin vos intérêts, retenez que ceux à qui vous destinez votre bulletin s'attendent à y trouver de l'information digne d'intérêt pour eux. Il en va ainsi de vos politiques de crédit, de vos prix, de la rapidité de vos livraisons, de la sécurité des approvisionnements ou de tout autre sujet qui risque d'influencer leur propre performance en affaires.

⑤ **La mission.** Le bulletin ne remplacera jamais le contact personnel, mais il peut servir de prélude ou de prétexte à une rencontre, ou encore assurer le suivi de celle-ci. Votre bulletin doit donc répondre à une stratégie d'affaires. Il doit avoir un sens et constituer une tactique qui vous permettra d'atteindre vos objectifs. Autrement dit, votre bulletin doit avoir une mission. Vous pouvez en faire un instrument de développement des affaires, un outil de promotion ou un moyen de fidélisation de la clientèle. Un bulletin d'entreprise efficace ne peut servir à toutes les sauces et viser plusieurs objectifs à la fois, faute de quoi vous risquez d'en faire un fourre-tout sans grande signification.

⑥ **La constance.** Le succès de votre bulletin reposera dans une large mesure sur la régularité de ses parutions. Si vous en faites un mensuel, on voudra le lire chaque mois. Une périodicité irrégulière sera perçue comme un manque de sérieux ou, pis encore, comme le symbole du manque d'organisation de votre entreprise. Mieux vaut viser une parution trimestrielle et s'y tenir que d'avoir une production en dents de scie qui risque d'émousser l'intérêt de vos lecteurs.

⑦ **L'envoi.** Idéalement, postez votre bulletin à la résidence de ceux qui doivent le recevoir. S'il peut paraître compliqué de constituer et de maintenir une telle liste d'envoi, le jeu en vaut la chandelle : ainsi, tous les membres de la famille auront l'occasion d'y jeter un coup d'œil. Vous triplerez donc le nombre de vos lecteurs.

5.3 L'ADHÉSION À UN GROUPE

On a tendance à croire que le seul fait de faire partie d'un réseau de gens d'affaires amènera une manne d'occasions, et ce, sans autre effort que celui de signer sa carte de membre. Désolée ! Il faut s'investir pour que le réseautage fonctionne. On achète d'abord l'individu ; son produit ou son service, ensuite. Comme les contacts d'affaires se font en personne, insérez les activités de réseautage à votre stratégie de marketing.

Avant de vous joindre à une organisation, lisez-en la documentation, les bulletins surtout. Participez à un ou deux événements et voyez si les gens présents sont ceux que vous voudriez fréquenter sur une base continue. Présentez-vous aux responsables de l'événement, au personnel permanent, s'il y en a sur place, et aux autres membres du groupe. Demandez s'il est facile d'intégrer des comités. Offrez vos services comme bénévole : vous créerez un effet à coup sûr ! Par-dessus tout, ayez l'air intéressé, soyez de bonne humeur et tenez des propos positifs.

Par ailleurs, la majorité des associations professionnelles sérieuses ont utilisé leur masse critique de membres pour négocier des services : taux préférentiels des frais de cartes de crédit, assurance automobile, réduction à l'achat d'un téléphone cellulaire, etc. Les économies ainsi réalisées par les membres réduisent le coût de revient de la cotisation annuelle. Au sein de certains regroupements, plusieurs membres offrent à leurs consœurs et confrères des réductions intéressantes à la présentation de leur carte de membre.

Si le coût de l'adhésion à une association vous semble prohibitif, considérez les services que cette dernière offre à ses membres. Plus on propose d'activités et de services, plus la cotisation sera élevée. Aussi, avant de contester le montant d'une cotisation, demandez combien de personnes sont affectées au service des membres, combien d'activités mensuelles sont proposées (pas seulement dans votre région) et quelles sont les possibilités de s'engager au sein de l'organisation, soit en intégrant un comité, soit comme animateur d'événements.

Que justifie le coût d'un déjeuner causerie ?

La majorité des événements organisés pour les gens d'affaires se tiennent à l'heure des repas. Il faut bien manger, alors pourquoi ne pas rentabiliser ces périodes ? Cependant, plusieurs personnes perçoivent ces occasions comme des dépenses supplémentaires — et plus ou moins justifiées —, lesquelles s'ajoutent aux frais d'adhésion annuelle. Qu'en est-il vraiment ?

En plus du coût de l'adhésion annuelle, on doit aussi prévoir les frais de repas des déjeuners d'affaires, **même si l'on choisit de s'y rendre sans manger**. Les établissements hôteliers imputeront le nombre de repas correspondant au nombre de chaises occupées, pas forcément au nombre de tasses utilisées... Le prix demandé par les organisateurs est fonction d'un taux de groupe fixé par l'établissement pour la catégorie de repas choisi. Il inclut également le coût de la salle utilisée, le personnel affecté au service et, bien sûr, les taxes. Dans la plupart des associations, on aura prévu, à même cette somme, le coût du repas du conférencier, des préposés à l'accueil et, dans certains cas, d'un ou deux journalistes invités à couvrir l'événement.

Il est de mise, dans la majorité des associations que j'ai fréquentées, d'imputer un surplus symbolique pour les invités des membres. Plusieurs associations limitent le nombre de visites d'un même invité. Une ou deux visites suffisent habituellement pour décider si l'on veut joindre le groupe ou non.

Si votre plan de match est dressé, il vous sera plus facile de choisir le ou les réseaux qui vous conviennent. Le temps que vous avez à y consacrer est aussi un élément important. Idéalement, les ressources d'une même entreprise devraient se joindre à un réseau différent et, une fois par mois, échanger l'information recueillie.

5.3.1 La tenue vestimentaire

Que l'on soit ou non préoccupé par la mode, on a tous tendance à accorder plus d'attention aux gens qui sont bien vêtus. Vous en doutez ? Rendez-vous chez Holt Renfrew un jour de semaine, vêtu d'un sur-vêtement et chaussé d'espadrilles. Parions que la qualité (à tout le moins, l'empressement) du service s'en ressentira énormément. J'en sais quelque chose pour avoir vécu l'expérience !

Le choix de la tenue vestimentaire qui convienne à des activités de réseautage n'est pas une mince affaire. Ce qui sied dans la roulotte de construction ne fait pas forcément chic au déjeuner causerie. Faites la part des choses. Démontrez votre confiance en vous, relevez la tête et redressez les épaules : ce que vous portez prendra déjà plus de valeur.

Vous l'aurez deviné, il n'existe pas d'« uniforme » pour faire du ré-seautage. L'expérience m'a toutefois appris l'importance d'opter pour une tenue de circonstance. Il va sans dire que les activités de réseau-tage qui ont lieu tout de suite après les heures de bureau réuniront des personnes habillées de toutes les façons. Dans la mesure du possible, cependant, il faut tenter de se présenter à des clients éventuels sous son meilleur jour. On est souvent jugé avant même d'avoir ouvert la bouche.

Bien que, dans mes séminaires, je suggère aux personnes effacées de travailler à développer un style ou à adopter une tenue qui les rende mémorables, je ne peux comprendre que l'on choisisse de se distinguer en portant des vêtements moulants à l'excès, des chemisiers diaphanes ou au décolleté plongeant. Et bien que je sois consciente que le confort rend la vie plus facile, je ne suis pas très impressionnée devant un type chaussant des flâneurs de type Hush Puppies et portant le complet trois pièces. Pour moi, rien ne vaudra jamais des chaussures bien cirées, fussent-elles des bottes western !

Cela dit, il ne s'agit pas de se ruiner dans les boutiques, mais simplement d'avoir l'air prospère. J'ajouterais qu'il faut également projeter l'image d'une personne dynamique et en santé. Qui a envie de faire des affaires avec quelqu'un qui semble attendre sa place au sanatorium ?

5.3.2 La communication orale

On peut hériter de la belle taille de sa mère et des cheveux d'ébène de son père, mais pas de l'art de parler en public. Néanmoins, il s'agit là d'une habileté qui peut être développée. J'ai fréquemment l'occasion de parler en public. Dans la majorité des cas, je m'en suis tirée assez bien, mais, pour être parfaitement honnête, la partie n'est jamais gagnée d'avance, même si je connais bien mon sujet. Il suffit que vos yeux croisent le regard de deux ou trois personnes amorphes, qui semblent être là contre leur gré, et votre confiance en vous en prend pour son rhume.

Si vous avez quelque doute que ce soit sur votre « potentiel d'orateur » (si vous n'en avez pas, vous avez un autre type de problème), je vous invite à joindre les Toastmaster's, un regroupement au sein duquel on peut parfaire ses talents d'orateur avec d'autres amateurs, ou à vous inscrire à un atelier comme ceux qu'offre le RFAQ, aux femmes aussi bien qu'aux hommes.

Tout comme le meilleur moyen de boire son litre d'eau quotidiennement est de garder la bouteille à proximité, les magazines ne seront lus que s'ils sont à la portée de la main :

• dans la voiture pour les bouchons de circulation ;

- dans la mallette pour lecture dans les salles d'attente ;

- dans le sac à main pour les séances chez le coiffeur ;

- près du lit pour les nuits d'insomnie ;

- sur la table de la salle de séjour durant les réclames publicitaires ;

- sur votre bureau au moment d'appels téléphoniques qui se prolongent.

5.4 L'ABONNEMENT À DES PUBLICATIONS SECTORIELLES

« Je lis comme d'autres prennent un verre », m'a-t-on dit un jour. « Dommage », avais-je alors pensé. Je suis une fanatique des magazines et, fidèle à ma nature d'autodidacte, je consacre une plus large portion de mon budget aux livres et aux magazines qu'à ma garde-robe.

Je ne comprends pas les gens qui disent ne pas avoir le temps de lire. Bien sûr, on n'a pas tous envie de passer deux ou trois heures par jour plongés dans un roman. Par contre, il est selon moi impératif, au cours du mois, de lire un ou plusieurs magazines qui proposent des dossiers et des articles ayant trait à notre secteur d'activité ou à nos champs d'intérêt.

Demeurez au courant !

En demeurant informé de l'actualité, des grands courants et des tendances, vous pourrez renseigner les membres de votre réseau, et ceux-ci vous en sauront gré.

Lisez les quotidiens de même que les publications qui se rapportent à votre domaine. Sachez qui fait quoi et où. Appliquez-vous à devenir une source d'information pour vos relations.

Quelques semaines avant de partir en voyage — qu'il s'agisse d'un voyage d'affaires ou de vacances —, j'achète quelques magazines et l'édition du samedi d'un quotidien du pays ou de la région que je m'apprête à visiter. Je prends ainsi connaissance des dossiers chauds régionaux et je suis en mesure de poser des questions pertinentes. Au lieu de demander à mes interlocuteurs le nom de leur restaurant favori, je m'informe plutôt de ce qu'ils pensent de certains restaurants annoncés dans les publications consultées. J'évite ainsi bien de mauvaises surprises.

Rappelez-vous qu'il n'y a pas de réseautage valable sans votre participation.

5.5 LE SUIVI AUPRÈS DES CONTACTS

La mémoire est une faculté qui oublie. Chaque jour, nous rencontrons des gens qui nous intéressent sans savoir forcément pourquoi. Ce que nous savons, en revanche, c'est que nous avons envie de les revoir. En échangeant avec eux nos numéros de téléphone ou nos cartes professionnelles, nous leur disons : « Je vous trouve suffisamment intéressant pour vous permettre de me joindre si vous en avez envie ou si je peux vous être utile, dans un avenir plus ou moins rapproché. »

Le mot clé, dans la phrase précédente, est « avenir », et le secret pour bâtir une relation avec ces personnes est le suivi. Dans une telle situation, laquelle des attitudes suivantes est habituellement la vôtre ?

1. Vous espérez que tous ces gens, à qui vous avez remis votre carte, vous appellent.

2. Vous adoptez une stratégie pour maintenir le contact avec eux.

Il va sans dire que la seconde option demande plus de travail. C'est pourquoi peu la choisissent. Ceux qui s'y appliquent font du réseautage et connaissent le succès. Les autres se plaignent que la vie ne les traite pas bien et que les réseaux auxquels ils appartiennent (pour lesquels ils détiennent une carte de membre) ne sont pas efficaces.

Malgré tous vos efforts, vous ne plairez jamais à tout le monde. Votre service ou votre produit non plus. On ne voudra pas systématiquement entretenir une relation avec vous, et ce, pour toutes sortes de raisons qui ne seront pas toujours évidentes. C'est humain. Par contre, si vous avez senti chez votre interlocuteur une étincelle d'intérêt, si vous avez remarqué l'expression d'un objectif commun ou d'affinités, vous voudrez relancer cette personne.

Imaginons que vous rencontrez quelqu'un qui ouvre dans votre région une nouvelle division de son entreprise dans le domaine de l'informatique. Les perspectives d'y dénicher un emploi pour vous ou pour votre enfant, ou encore l'éventualité de remplacer le système informatique de l'usine d'épuration d'eau de votre localité vous viennent naturellement en tête.

Même s'il est évident que ces deux « pistes » n'auront pas de répercussions immédiates, les bons réseauteurs voudront se rapprocher des décideurs éventuels. Si vous attendez six mois ou un an avant de relancer un contact, vous avez intérêt à détenir un indice de charisme exceptionnel pour que l'on se souvienne de vous. Comment faire pour entretenir la flamme ?

Vous avez besoin de mettre en place une stratégie à long terme, laquelle pourrait inclure le repérage et la fréquentation d'endroits où votre contact a ses habitudes. Sans harceler cette personne, vous devez faire en sorte qu'elle vous voie, qu'elle vous salue fréquemment. Si l'occasion se présente, vous pouvez lui présenter des personnes susceptibles de lui être utiles, qu'elles soient reliées à ses intérêts personnels ou professionnels. Plus tard, vous pourriez lui faire parvenir une carte de bons vœux à l'occasion de Noël ou d'une promotion. Vous pourriez même lui transmettre par télécopieur un article de magazine que vous savez digne d'intérêt pour elle.

Lorsque vous serez devenu un peu plus familier avec cette personne, vous pourrez l'inviter à une partie de hockey ou de baseball. Certains appellent cette démarche « bâtir une relation » ; en matière de réseautage, elle consiste à « faire de la banque ». Quand viendra le moment de lui proposer vos services ou encore de lui demander un emploi pour votre fille, vous ne serez pas reçu comme un étranger.

5.5.1 L'appel téléphonique

Le téléphone est un outil trop souvent négligé en réseautage. Il rend pourtant de précieux services dans l'exercice du suivi. Quoi que l'on en pense, on peut percevoir la motivation, l'enthousiasme et l'émotion de son interlocuteur, même à mille lieues.

Voyant ses activités réduites à cause d'une vilaine fracture, Henriette en a profité pour téléphoner aux décideurs des diverses compagnies avec lesquelles elle fait affaire. Elle leur a ainsi rappelé son existence et les a remerciés des contrats alloués. Après avoir dépassé l'objectif de sa campagne de financement, Centraide de Montréal a fait la même chose en procédant à des appels de remerciement à ses donateurs.

Les personnes qui se prêtent fréquemment à des entrevues téléphoniques à la radio s'appliquent à sourire pendant l'entrevue. Le sourire « passe » dans la voix, donc souriez lorsque vous assurez un suivi téléphonique. Usez du téléphone avec efficacité. La crédibilité vient du fait que l'on peut compter sur vous. Il y a plusieurs manières de vous bâtir une réputation de fiabilité ; il n'y en a pas de plus rapide et de plus efficace que de rappeler dans un délai raisonnable, et ce, que le nom du demandeur vous soit familier ou non. S'il s'agit d'un appel interurbain et que vous ne désirez pas payer les frais de la communication, faites l'appel à frais virés, mais reprenez contact. Il en va de votre crédibilité.

5.5.2 La lettre d'affaires

Vous aviez amorcé une conversation avec un client potentiel lorsque la conférence a débuté. Il ne vous était plus possible, à la sortie, de poursuivre sur votre lancée. Que faire pour reprendre contact avec cette personne ? Utilisez la lettre d'affaires.

Sur votre plus beau papier à en-tête, rappelez-vous au souvenir de votre destinataire en précisant l'endroit où vous vous êtes rencontrés. Livrez des détails sur deux ou trois mandats ou projets susceptibles de bien vous situer, professionnellement, dans son esprit. Si possible, fournissez-lui une information dont pourrait profiter son entreprise ou qui concerne l'un de ses passe-temps.

Si cette personne agit comme bénévole, offrez-lui votre concours pour un événement ponctuel. Terminez la lettre en proposant une prochaine rencontre. Quelques jours plus tard, bien sûr, téléphonez-lui pour prendre un rendez-vous ou l'inviter à luncher.

Si vous devez vous absenter pour plus de 24 heures, mentionnez-le sur votre message d'accueil ou assurez-vous que quelqu'un prendra vos appels.

5.5.3 Un service entraîne un suivi

Lorsque vous demandez un service à quelqu'un, il est impérieux d'effectuer un suivi. Aucune excuse ne justifie que l'on ne remercie pas une personne qui nous a rendu service, qui nous a fait bien paraître ou qui a tenté, même sans succès, de nous obtenir un privilège.

Le suivi est de mise dans les deux sens. Si vous rendez service à quelqu'un de façon indirecte, n'hésitez pas à lui en faire part. Souvent, le bénéficiaire ne saura même pas que vous êtes à l'origine du service obtenu, et quelqu'un d'autre pourrait en prendre le crédit. Par exemple, si l'on vous demande de rédiger une lettre, tâchez de savoir par la suite quels commentaires elle a suscités. Ce faisant, vous vous rappelez au bon souvenir du demandeur et vous évaluez votre performance. En même temps, vous projetez l'image de celui qui mène ses projets à terme et qui se soucie de bien faire son travail, même s'il s'agit de bénévolat. Votre bénéficiaire en conclura que vous y avez pris plaisir et que vous êtes intéressé à connaître l'issue de la démarche. Tout cela fait partie des bonnes manières, et il n'y a pas de raison pour que les bonnes manières ne fassent pas partie du réseautage.

CHAPITRE 6

Vos premiers pas

Le réseautage est un sport de contacts ! À défaut de développer
des relations efficaces, vous ne pourrez développer
un réseau de contacts puissants, diversifiés et fiables.

Ivan R. Misner,
The World's Best Known Marketing Secret

En poste depuis à peine quelques mois, comme directrice générale du centre commercial Les Rivières, à Trois-Rivières, j'apprends que l'on m'a inscrite au congrès de l'International Council of Shopping Centers, tenu à Dallas, au Texas. Je suis nouvelle dans le milieu, mon anglais est approximatif et le vocabulaire des centres commerciaux m'est pratiquement inconnu. Pour ajouter à mon malaise, je serai la seule représentante de la compagnie à loger à l'hôtel où se tient le congrès. Sécurité oblige : on s'assure de bien protéger la seule femme de l'organisation ! Dallas attend plus de 4000 participants, et je devrai apprendre très rapidement à circuler en milieu étranger.

Nul n'est à l'abri de l'anxiété que provoque la nécessité de circuler dans un milieu étranger. En 1984, une étude du *New York Times* portant sur l'anxiété sociale, rapportait que la plus grande peur de la majorité des gens consiste à entrer dans une pièce remplie d'étrangers. **La peur de parler en public arrive bonne deuxième, même avant celle de mourir.** Pas surprenant alors que le désir de faire du réseautage un mode de vie soit, pour certains, aussi ardent que celui d'apprendre à piloter un avion ou de faire de la plongée sous-marine !

Toujours selon cette étude, 90 % des personnes interrogées ont admis ne pas être à l'aise dans des événements où elles ne connaissent personne ou en connaissent très peu. Ce pourcentage diminue à peine (80 %) chez les gens actifs dans les domaines de la vente et du marketing. L'étude révèle que moins de 0,0025 % des individus éprouvent un réel plaisir à circuler dans ce type d'environnement. D'après le Dr Bella De Paulo, psychologue à l'Université de Virginie, 40 % de la population adulte souffrirait d'*anxiété sociale*.

La vie professionnelle exige que l'on développe des affaires et, pour ce faire, que l'on rencontre des gens. Si l'on doit le faire de façon assidue, autant s'organiser pour que ce soit agréable et profitable, n'est-ce pas ?

6.1 COMMENT CIRCULER EN MILIEU ÉTRANGER

Les Américains ont une belle expression pour illustrer la façon de circuler en milieu étranger : *to work a room*. Il s'agit de l'art de faire en sorte que les étrangers deviennent des amis. Susan Roane en a fait le titre d'un livre (*How To Work a Room*, 1988) qui est rapidement devenu un succès de librairie.

L'auteure définit la démarche de façon on ne peut plus pertinente : « Habileté à circuler de façon gracieuse parmi les gens, à rencontrer, à saluer et à parler à ceux que l'on désire rencontrer[2]. » Elle ajoute plus loin : « L'art de créer une communication chaleureuse et sincère, d'établir un rapport honnête sur lequel bâtir une amitié » ; puis : « aptitude à amorcer, à poursuivre et à clore des conversations animées et intéressantes. »

2 Voir la bibliographie complète en fin de volume à la page 133.

Quoi qu'en disent les sceptiques sur la question, il n'y a rien de calculateur ou de manipulateur dans l'art de circuler parmi des étrangers et de tenter d'établir des relations. Une chose est sûre : si vous n'aimez pas le monde, si votre chaleur, votre enthousiasme et votre désir de communiquer ne sont pas sincères, aucune technique au monde ne vous sera utile.

Les hommes ne semblent pas souffrir (ou alors, passablement moins que les femmes) du syndrome on-ne-parle-pas-aux-étrangers-sans-avoir-été-présenté-officiellement. Ils n'ont bien souvent qu'à se découvrir une affinité — être membres des Lions, partisans d'une équipe sportive ou propriétaires de la même marque de voiture — pour engager la conversation.

On court à l'échec si l'on attend que quelqu'un nous repère et se charge de nous présenter. Si quelques événements de réseautage offrent aux participants l'occasion de prendre la parole pour se présenter, la plupart adoptent une formule plus libre où il est impératif de circuler et de se présenter soi-même. Ceux qui ne le font pas risquent de se transformer en statue de sel ou de graviter un peu trop longtemps autour du buffet ou du bar. Ils repartent très déçus et l'estomac un peu lourd.

En fait, peu de gens se montrent ouvertement hostiles lorsque l'on se dirige vers eux dans le but de faire connaissance. C'est probablement parce qu'une telle attitude n'est pas conseillée en affaires. Pour plusieurs, la dynamique se complique lorsque le protocole entre en ligne de compte.

Personnellement, je crois que le gros bon sens doit primer dans la majorité des rencontres de ce type. La politesse et la délicatesse demeurent nos meilleures alliées. Les gens qui ont de bonnes manières ne font rien qui puissent placer les autres dans l'embarras.

Malgré de vaillants efforts pour vaincre ma propre anxiété sociale, il m'arrive encore de me sentir mal à l'aise lorsque je suis invitée comme conférencière dans une organisation. C'est le cas, par exemple, quand on insiste pour que je me présente au moins 30 minutes avant le repas, et ce, sans que l'on ait attitré quelqu'un pour me tenir compagnie et me présenter aux participants.

Imaginez la scène. Après vous avoir indiqué la direction du vestiaire, on vous laisse à vous-même. Vous vous trouvez au milieu d'invités venus établir des contacts précis ou trop heureux de se retrouver et d'échanger les dernières nouvelles. À moins que quelqu'un ne vous connaisse déjà ou que vous ne soyez une vedette de la télévision, personne ne remarquera votre présence. Vous avez alors le choix : vous joindre à une conversation dont le sujet peut vous être totalement étranger, ou encore — et c'est ce que je fais — vous diriger vers une personne seule. Il s'agit souvent d'une personne timide, pas exactement le genre qui vous présentera un maximum de contacts ; néanmoins, vous ne sauriez imaginer les rencontres intéressantes que j'ai faites de cette façon.

Au fil des années, je me suis aperçue que ce sont presque toujours les grands personnages qui vont au-devant des gens pour leur serrer la main. J'en suis même venue à interpréter ce geste comme une marque de leadership. Et je ne parle pas uniquement des politiciens pour qui serrer des mains devient une seconde nature.

6.2 ÊTES-VOUS DU TYPE HÔTE OU INVITÉ ?

À l'occasion d'activités de réseautage, les participants ont tendance à adopter l'un ou l'autre des deux types suivants : hôte ou invité. Voyons quel est votre type.

L'hôte n'a pas besoin d'être préposé à l'accueil : cette personne va tout naturellement vers les autres. Préoccupée par leur confort, c'est souvent elle qui, tout naturellement, indiquera la direction du vestiaire ou des toilettes à quiconque semble chercher ; elle se présente sans plus de cérémonie. L'hôte aime les gens et ceux-ci le lui rendent bien.

L'invité est tout le contraire. Cette personne s'attend à ce qu'on la débarrasse de son manteau, qu'on lui offre un verre et qu'on la mène à sa table. S'il ne se présente personne pour l'assister, elle a tendance à prendre un mur ou une colonne en affection et à attendre que l'on s'occupe d'elle. Elle attend généralement longtemps ; j'en ai vu partir avant même que l'événement démarre ! Ces personnes sont le plus souvent timides ou gênées, mais elles projettent une attitude distante, voire snob.

Bref, les hôtes s'occupent, les invités attendent. Vous êtes de ceux qui rasent les murs ? Alors, la seule façon de passer du mode invité au mode hôte, à l'occasion d'activités futures, est de vous trouver une occupation. Vous pourriez choisir d'offrir vos services à l'accueil ; le fait d'avoir un rôle précis contribue à faire disparaître la timidité comme par magie. Du coup, vous aurez l'excuse toute trouvée pour exploiter votre fibre extravertie, aussi ténue soit-elle.

Prenez garde, cependant, de ne pas qu'*avoir l'air* chaleureux. Si, fondamentalement, vous n'aimez pas la vie sociale, on le sentira. Vous feriez mieux, dans ce cas, de proposer vos services pour une tâche plus administrative, comme un travail de caissier ou encore d'adjoint au régisseur, jusqu'à ce que vous vous sentiez comme faisant partie de la famille. Vous développerez petit à petit ce sentiment d'appartenance qui fait que l'on se sent à l'aise en société, et vous n'hésiterez bientôt plus à aller au-devant des gens.

Vos démarches antérieures auprès d'inconnus vous ont donné l'impression d'être mal accueilli, voire snobé ? N'en faites surtout pas un cas personnel. Depuis plusieurs années, j'ai fait mien ce proverbe chinois : « Quand on donne un coup de pied au chat, c'est rarement la faute du chat. » Au lieu de jurer que l'on ne vous y reprendrait plus, apprenez plutôt à prévenir ces situations, entre autres en étant attentif au langage non verbal.

Observez le langage non verbal de ceux que vous souhaitez rencontrer *avant* de les aborder. Cela vous évitera de vous immiscer dans une conversation animée entre deux personnes.

 Pourquoi ne pas vous exercer en présentant vos amis à vos connaissances ? Pour ce faire, vous aurez auparavant assimilé ce que chacun d'eux fait dans la vie et tenterez de le faire savoir à l'autre d'une manière concise, en soulignant un point qu'ils ont en commun ou en mettant de l'avant un sujet qui leur permettra de démarrer une conversation.

Sachez pourquoi vous êtes là et ce que vous comptez y faire, puis faites-le. Surtout, arrivez dans de bonnes dispositions. Il vaut mieux ne pas se présenter à une activité de réseautage si l'on se croit incapable de surmonter sa fatigue ou son stress ou, pis encore, si l'on n'éprouve pas d'intérêt pour l'activité en question.

6.3 APPRENEZ À VOUS PRÉSENTER EFFICACEMENT

Vous vous trouvez au milieu de gens que vous ne connaissez pas et vous aimeriez entrer en contact avec certains d'entre eux. Surtout, vous désirez qu'elles sachent qui vous êtes et ce que vous faites dans la vie.

Retenez que vous avez 60 secondes pour laisser une bonne impression, que l'occasion vous soit donnée ou non de vous nommer et d'expliquer l'objet de votre présence.

Votre présentation doit être courte et mener naturellement à celle de votre interlocuteur. Après tout, l'objectif ici est de pouvoir établir la communication rapidement, si le besoin s'en fait sentir.

Le mode de présentation doit s'adapter aux circonstances. Par exemple, le spectateur enthousiaste qui prend place dans les gradins à l'occasion d'un match de balle molle pourrait se présenter à son voisin en disant : « Jérôme Bleau, père de Jeannot, le grand roux qui joue au champ droit pour l'équipe hôtesse. » De cette façon, il explique d'avance ses débordements et pourra éventuellement engager la conversation avec quelqu'un qui partage son goût pour le sport ou qui, comme lui, est parent d'un jeune athlète.

Dans une rencontre de directeurs généraux d'hôpitaux, notre homme pourrait se limiter à : « Jérôme Bleau, de l'hôpital XYZ. » Puisqu'il est, comme toutes les personnes présentes, directeur général, il n'a pas à en faire état. En revanche, il pourrait sentir le besoin d'être plus explicite à l'occasion d'un lunch de la chambre de commerce et se présenter à ses compagnons de table comme : « Jérôme Bleau, directeur général de l'hôpital XYZ. »

Même si vous n'avez *rien à vendre* — comme j'entends dire souvent —, vos interlocuteurs préfèrent toujours savoir ce que vous faites dans la vie. Vous êtes membre du Club Rotary ? Il n'est pas exclu de vous présenter comme étant : « Jules Rémy, manœuvre dans l'entrepôt de la SAQ. » Vous êtes travailleuse indépendante ? Pourquoi ne pas glisser ceci, dans les mêmes circonstances : « Louise Génier, je fais la comptabilité de PME. » Ceux qui n'ont pas la mémoire des noms, et ils sont nombreux, trouvent plus facile de se souvenir de ce que vous faites pour gagner votre vie. La prochaine fois que vous rencontrerez votre interlocuteur, il pourrait très bien engager la conversation en s'informant de la carrière de votre fils ou encore des relations de travail à la SAQ, sans pour autant se souvenir de votre nom. Il n'y a pas de mal à cela ; après tout, ce que l'on désire vraiment n'est-il pas d'être reconnu ?

La présentation comprend trois éléments également importants : informer, susciter l'intérêt et créer un effet. Tout cela en moins de 15 mots.

- *Informer.* De façon concrète, on veut savoir votre nom, votre profession et votre lieu d'affaires.

- *Susciter l'intérêt.* Il faut tenter de déclencher chez notre interlocuteur une curiosité émotive ou mentale. Soyez bref et regardez votre interlocuteur dans les yeux. Inutile de tenter de se démarquer au moyen de charades ou en forçant les autres à deviner notre métier ou notre profession. Les gens, en général, n'aiment pas se creuser la tête et veulent savoir rapidement à qui ils ont affaire.

Plusieurs personnes, notamment celles qui évoluent dans le domaine du marketing à paliers (*multi-level marketing*), tergiversent et ne disent qu'à demi-mots la nature exacte de leur travail. Leur message est souvent confus et l'effet créé n'est pas celui qu'elles souhaitent. De grâce, ne faites pas comme eux.

- *Créer un effet.* Il faut être capable de faire valoir ce qui nous rend unique, mémorable. Ce n'est pas en affirmant que vous offrez un service personnalisé que vous y arriverez : c'est le cliché du siècle. Si l'humour peut être une carte maîtresse dans certaines présentations, cette approche est loin d'être obligatoire. Elle est même carrément déplacée pour parler de certaines professions.

Enfin, il peut être important de préciser l'endroit où l'on conduit ses affaires. C'est le cas si l'on gère une franchise d'une grande chaîne.

Vous risquez de mettre un certain temps avant de trouver la formule de présentation idéale pour les diverses occasions propices au réseautage. Il vaut toutefois la peine de vous y consacrer, au besoin en demandant l'aide d'autrui ou en invitant vos proches à critiquer votre formule de présentation. Lorsque vous en êtes satisfait, faites-la vôtre pour un bon moment. Elle doit franchir vos lèvres sans effort, naturellement. Tout est dans la répétition. Ainsi, vous aurez l'esprit suffisamment libre pour accorder toute votre attention à ce que votre interlocuteur s'apprête à vous dire.

6.3.1 Un impératif : se souvenir des noms et des personnes

La plupart des gens qui n'arrivent pas à mémoriser les noms peuvent régler leur problème en maîtrisant bien leur formule de présentation. Souvent, ces personnes sont tellement préoccupées par le message qu'elles s'apprêtent à transmettre qu'elles n'arrivent pas à se concentrer sur ce qu'elles viennent d'entendre. Dès qu'elle est automatique, la formule de présentation devient une sorte de slogan qui, à force d'être répété dans les mêmes cercles, s'imprime dans la mémoire et cesse d'être une préoccupation pour celui qui le prononce.

S'il existe plusieurs façons de mémoriser le nom de personnes que l'on rencontre pour la première fois, toutes consistent à répéter ce nom d'une façon ou d'une autre. En voici quelques-unes :

• Dites une phrase en la terminant par le nom de la personne.
  Ex. : Déposez-votre parapluie ici, Denise.

• Reliez le nouveau nom à quelqu'un de connu.
  Ex. : Denise, c'est le nom de ma mère.

• Visualisez une image.
  Ex. : Louis, comme les rois de France !

• Demandez à votre interlocuteur d'épeler son nom ou tentez d'en connaître l'origine.
  Ex. : Vous écrivez Denault avec ou sans l ? Kadczender, est-ce d'origine polonaise ?

Évitez de commencer votre formule de présentation par : « Je m'appelle... », « Mon nom est... » ou « Je suis... ». Puisque le volume de la voix diminue à mesure que la phrase s'allonge, débuter avec votre nom est plein de bon sens.

6.3.2 La présentation de votre entreprise

À l'intérieur des réseaux formels, on permet parfois aux membres de présenter leur entreprise à tour de rôle. Ces « pauses publicitaires » peuvent durer de 30 secondes à 3 minutes, selon les événements et le nombre de participants. Toutes les recommandations précédentes s'appliquent ici. À elles s'ajoute l'importance de préciser le type de produits ou de services que vous offrez. Surtout, évitez de forcer la note en empiétant sur le temps alloué ; non seulement vous aliéneriez-vous l'assistance, mais l'on risque en plus de vous couper abruptement la parole.

La tendance américaine veut que l'on mette l'accent sur la mission de l'entreprise plutôt que sur les produits ou services. Dans les domaines où les produits se ressemblent de même que dans les professions où il est difficile de se démarquer, la mission de l'entreprise et la façon de voir des dirigeants peuvent faire toute la différence.

CHAPITRE 7

Le réseautage à l'œuvre

Notre habileté à tenir parole est le ciment de notre cercle d'influence. Le respect de nos engagements envers nous-même et envers les autres constitue l'essence même et la plus éloquente démonstration de notre proactivité.

Stephen R. Covey

Devenir membre d'une association ne suffit pas à faire de nous un réseauteur. Encore faut-il savoir élargir son réseau, établir de nouveaux contacts et entretenir ceux que l'on possède déjà.

Si ce n'est déjà fait, votre travail de même que vos démarches de réseautage vous amèneront à participer à des activités où vous connaîtrez peu de gens, comme des déjeuners causerie, des colloques ou des activités de bénévolat. Ces rencontres sont autant d'occasions d'élargir votre réseau et de mettre en application les notions que vous avez apprises dans les chapitres précédents. Une fois vos outils bien en main, il est temps de plonger et de vous faire connaître.

Établir des contacts n'est qu'une dimension du réseautage. À partir du moment où vous démontrez de l'intérêt envers quelqu'un, vous lui offrez l'occasion de vous demander quelque chose, que ce soit de l'information, un coup de main ou une référence. En retour, vous saurez que vous pouvez aussi vous tourner vers cette personne en cas de besoin. Le réseautage implique que l'on y mette du sien, mais aussi que l'on sache où tirer la ligne. C'est ce que nous verrons dans les pages qui suivent.

7.1 LE RÉSEAUTAGE EN MILIEU ÉTRANGER

On peut trouver relativement facile d'entretenir ses contacts personnels, à la maison et au bureau, et perdre ses facultés de réseauteur aussitôt que l'on se trouve en milieu étranger.

Il faut d'abord redéfinir le mot « étranger ». Les membres de réseaux formels, comme une chambre de commerce ou le Réseau des femmes d'affaires du Québec (RFAQ), qui participent à un colloque ne sont pas des étrangers ; les membres de clubs de service comme le Kiwanis, les Lions, le Richelieu, qui se réunissent pour leur lunch hebdomadaire, n'en sont pas non plus, pas plus que les partisans d'une équipe de hockey ou de baseball lorsqu'ils assistent à une partie. Comme les invités d'une partie d'huîtres, d'un souper au homard ou d'une soirée-bénéfice, tous ces gens ont des champs d'intérêt communs. Ce ne sont pas des étrangers, puisqu'ils partagent des affinités.

Lorsque j'ai débuté dans la consultation auprès des promoteurs de centres commerciaux, mes mandats m'amenaient à séjourner dans les hôtels plusieurs jours par semaine, souvent pendant plusieurs mois. Il arrivait même que, à certains moments de l'année — surtout l'hiver —, je sois la seule femme « commis voyageur » de l'hôtel. J'ai bien mis un an avant de ne plus considérer les autres clients comme des étrangers, mais bien comme des travailleurs qui, comme moi, utilisaient l'hôtel comme leur seconde résidence pour une période donnée. Nous partagions cette affinité. Pour ce qui est de me sentir complètement à l'aise de m'asseoir seule au restaurant ou au bar de l'hôtel, ce fut une tout autre histoire.

J'ai d'abord dû me donner la permission d'y passer quelques heures, au même titre que mes collègues masculins qui, eux, ne se posaient même pas la question. Ils étaient chez eux! Les femmes dont le travail les amène à faire de longs séjours dans les hôtels n'ont pourtant d'autre choix que de se rendre seules au restaurant ou au bar si elles ne veulent pas périr d'ennui dans leur chambre ou devenir alcooliques à y passer leurs soirées à prendre un verre.

Au fil des ans, j'ai trouvé des trucs qui m'ont bien servie. Si je prévoyais descendre au même hôtel pour plusieurs semaines, je demandais au directeur de l'hôtel de me présenter officiellement au personnel, particulièrement au maître d'hôtel et au barman. Ces gens-là connaissent bien leurs clients fidèles et peuvent, de façon très professionnelle, vous présenter des compagnons et des compagnes de table très agréables que vous n'auriez pas l'occasion de rencontrer autrement. Une règle d'or s'impose toutefois : prendre les arrangements nécessaires pour que votre addition vous soit toujours remise, peu importe la galanterie de vos compagnons de table.

On se rend un grand service en établissant un contact avec le personnel de l'hôtel. Par exemple, si vous vous trouvez dans une situation où vous devez vous débarrasser d'un intrus, un simple coup d'œil à un membre du personnel vous tirera souvent d'affaire.

Quiconque établit de tels contacts dans les hôtels doit absolument éviter les «passes» et les malentendus. Encore une fois, votre tenue vestimentaire et vos propos contribueront à donner le ton. Évitez ceux qui pourraient porter à confusion.

À l'époque, j'avais toujours sur moi le dernier numéro du magazine *Time*. Je repérais rapidement, dans le restaurant ou le bar, l'endroit le mieux éclairé pour en faire la lecture. Il ne se passait pas une semaine sans que quelqu'un me demande, par l'intermédiaire d'un serveur, la permission d'emprunter mon magazine lorsque j'en aurais terminé. Sans la connaître, je savais que cette personne et moi partagions des affinités.

Lorsque l'on est affecté en région éloignée, la lecture d'un grand quotidien est souvent ce qui nous manque le plus. Quand je voyais un nouveau client lisant l'édition du jour du *Soleil* ou de *La Presse*, il m'arrivait de faire la même démarche. J'ai connu ainsi des personnes formidables qui, dans certains cas, se sont avérées de précieux contacts d'affaires.

7.2 COMMENT TIRER PROFIT D'UN 5 À 7

Même lorsqu'ils se tiennent à quelques enjambées du bureau, un cocktail ou une soirée-bénéfice peuvent rapidement donner l'impression que l'on est à l'étranger si l'on n'y connaît personne. Avant de céder à la gêne, pensez à ce que vous pourriez accomplir pendant cet événement. Dans la majorité des cas, vous aurez des perspectives à long terme. On fait rarement des affaires dans les réceptions ; en fait, ce n'est pas vraiment l'endroit pour vendre ses **services**, mais bien sa **personnalité**. D'où la nécessité de communiquer avec un certain nombre d'invités (pas nécessairement un maximum de gens), de recueillir de l'information, de se faire connaître, de se rendre visible (pas comme sourd et muet) et de prendre des rendez-vous en vue d'approfondir ses connaissances.

Il faut aussi avoir du plaisir à le faire. Vous avez tout intérêt à vous comporter comme une personne aimant la vie. On aime s'entourer de gens qui respirent la confiance en soi ; on fuit comme la peste les *mater Dolorosa* de ce monde. Même si vous n'arrivez pas discuter d'affaires avec la personne que vous vouliez rencontrer, vous devez cacher votre dépit. Les gens que vous rencontrez peuvent très bien devenir des amis qui enrichiront votre vie. Et surtout, ayez le courage de prendre des risques. Les enfants n'attendent pas d'être présentés avant de se joindre à un groupe ; ils plongent.

Si vous devez repérer un certain nombre de personnes au cours de l'événement, glissez-le dans vos conversations initiales. De cette façon, vous n'insulterez pas vos interlocuteurs lorsque vous devrez les quitter.

Habituez-vous à concentrer toute votre attention sur un individu à la fois. Certaines personnes arrivent à faire sentir à leur interlocuteur qu'elles désirent le rencontrer depuis longtemps. Soyez du nombre !

7.3 LES PIÈGES À ÉVITER

Les meilleurs réseauteurs savent que certains comportements peuvent coûter cher. Il en va du réseautage comme du savoir-vivre, certaines bourdes ne pardonnent pas. Voici quelques classiques :

• *Tabler sur les titres ronflants.* À l'occasion d'un colloque ou d'un 5 à 7, n'ignorez pas quelqu'un parce que le titre indiqué sur son carton d'identification ne vous impressionne pas. Considérez que si vous vous trouvez tous les deux au même endroit, c'est qu'il y a une raison. Pour avoir été secrétaire pendant une dizaine d'années, je peux vous assurer que les donneurs d'ordres ne sont pas toujours ceux qui passent pour des décideurs. Plusieurs candidats au potentiel intéressant ont vu leur curriculum vitæ disparaître comme

par enchantement parce qu'ils avaient été impolis envers la secrétaire. Qui, selon vous, décide de la marque de l'équipement dans
une entreprise ?

• *Oublier sa raison d'être.* N'essayez pas d'être tout pour tout le
monde. Si ce que vous faites ne correspond à ce que vous dites,
les conséquences seront pires que si vous n'aviez pas ouvert la
bouche.

• *Laisser un mauvais souvenir.* Faites en sorte que l'on se souvienne
de vous pour les bonnes raisons. Que ce ne soit surtout pas en
prenant un verre de trop, en monopolisant les conversations, en
portant jeans et t-shirt quand le complet est de mise, en circulant la
cigarette ou le cigare vissé aux doigts, en campant près du buffet,
en évitant d'adresser la parole à quelqu'un ou en vous esquivant
dès que quelqu'un vient de vous être présenté, en faisant le clown,
en parlant fort, en forçant vos interlocuteurs à entendre votre boniment de vente ou en critiquant l'organisation, la nourriture, l'endroit, etc.

• *Supporter un raseur.* Si vous vous trouvez avec quelqu'un qui
répond à cette description, quittez-le le plus poliment et le plus
rapidement possible et préférez une compagnie plus agréable.

7.4 LE BÉNÉVOLAT, UNE BONNE ACTION QUI RAPPORTE

Si les activités officielles de réseautage constituent un bon tremplin
pour vous faire la main, le bénévolat peut aussi s'avérer profitable, tant
pour vous que pour l'organisme auquel vous choisissez d'apporter
votre contribution. Mieux! Le fait de disposer d'un réseau solide fera
de vous une personne clé au sein de l'action bénévole. En bénévolat
comme en affaires, cependant, la réussite n'est pas automatique, et
plusieurs s'y sont cassé les dents en oubliant d'être réalistes ou en n'y
voyant que leur profit personnel.

Nombre de raisons motivent les gens à faire du bénévolat. Ceux qui choisissent cette avenue comptent :

• faire des affaires ;

• appuyer une cause qui leur tient à cœur ;

• aider les autres ;

• enrichir leur curriculum vitæ ;

• rencontrer des gens d'autres milieux.

Il va sans dire que toutes ces raisons sont valables et que, pour peu que l'on s'y applique, le bénévolat nous permettra, plus que toute autre activité, de démontrer nos talents, notre fiabilité, notre créativité et notre leadership. Avec un peu de chance, on y trouvera même l'occasion de se faire de nouveaux amis et de créer des alliances profitables.

7.4.1 N'adhérez pas les yeux fermés

Beaucoup de gens voient une éventuelle participation à un conseil d'administration, à un comité consultatif ou au comité organisateur d'un événement de grande envergure comme une occasion de réseautage et de développement des affaires. Pour certains, le fait d'être membres d'un conseil d'administration est perçu comme un échelon marquant leur ascension, pour ne pas dire leur acceptation dans le milieu des affaires. J'entends fréquemment des gens d'affaires affirmer qu'ils seraient « mûrs » pour faire partie d'un conseil d'administration, comme s'il s'agissait de l'aboutissement logique de leur cheminement de carrière.

Malheureusement, ceux qui se lancent dans cette aventure ne réfléchissent pas toujours aux aléas qu'elle comporte, et l'expérience s'avère parfois douloureuse, quand elle n'est pas carrément coûteuse. Pour que votre engagement bénévole ne soit pas jalonné de désillusions

— tant de votre côté que de celui de l'organisme —, je vous conseille d'observer la démarche suivante avant de fixer votre choix.

1. Tentez d'obtenir autant de renseignements que possible sur le mode de fonctionnement de l'organisme.

2. Définissez honnêtement les motifs qui vous animent.

3. Déterminez si votre motivation est à la hauteur des attentes exprimées par les organismes pressentis.

4. Demandez à la direction générale de préciser les renseignements suivants :

   • Quels sont le calendrier, le lieu et la durée des réunions ?

   • Combien d'heures par semaine, par mois, par année devrez-vous consacrer à l'organisme ?

   • Serez-vous tenu de faire partie d'un comité ?

   • Quelles sont les obligations financières requises ?

   • Quelles sont les tâches des administrateurs ?

   • Serez-vous tenu de participer activement à la campagne de financement ? de trouver des commanditaires ?

   • Serez-vous appelé à parler en public ?

   • Quelle est la durée du mandat ? Est-il renouvelable ?

5. Scrutez les valeurs de l'organisation et de sa direction. Sont-elles compatibles avec les vôtres ?

6. Mettez votre réseau à l'œuvre pour accéder au conseil d'administration de votre choix. Demandez aux gens que vous connaissez le nom des personnes avec lesquelles communiquer, mais établissez vous-même le contact.

7. Si aucun siège du conseil d'administration n'est vacant, offrez vos services comme simple bénévole en attendant une autre possibilité. Ce sera l'occasion, de part et d'autre, de voir si le courant passe entre vous et l'organisme. Soyez prêt à fournir les références d'autres conseils d'administration auxquels vous avez siégé et à y joindre des lettres de recommandation.

8. Remerciez les gens qui vous ont servi de tremplin.

7.4.2 Allouez un budget à vos activités de bénévolat

Le bénévolat n'est jamais entièrement gratuit et exige souvent beaucoup plus d'argent que notre budget ne le permet. Inconscients, certains se sont ruinés dans l'aventure.

Particulièrement à certains échelons, le bénévolat entraîne inévitablement des dépenses qu'il vaut mieux avoir prévues à son budget. Vous vous êtes engagé à vendre une certaine quantité de billets ? Il faudra assumer cette responsabilité, même si vous devez acheter vous-même les billets et les offrir ensuite en cadeau. Vous faites partie du conseil d'administration ou du comité organisateur d'un bal annuel ? Au prix des billets, ajoutez le coût de la location ou de l'achat d'un smoking ou d'une robe de circonstance, le coiffeur, la limousine, etc. Si vous aviez en tête de « rentabiliser » cet événement, il faudra que le hasard fasse drôlement bien les choses.

Cela dit, avant d'être invité à joindre un conseil d'administration qui rémunère ses administrateurs, à tout le moins qui rembourse les frais de déplacement, le bénévole aura fait sa marque dans les organismes à but non lucratif, les regroupements de gens d'affaires, les corporations professionnelles, etc. Bien sûr, il aura vendu quantité de billets de tirage, de chocolat ou de gâteaux, lavé une flotte d'automobiles et marché, patiné ou dansé pour une bonne cause.

7.4.3 Vous n'avez pas d'argent, mais beaucoup d'énergie ?

Vous disposez de plus de temps que d'argent ? Une cause vous tient à cœur et vous aimeriez rencontrer de nouveaux visages ? Le bénévolat « gratuit » est particulièrement adapté aux étudiants et aux chômeurs, et nombreux sont les organismes à la recherche d'abeilles. Mais attention ! N'allez pas offrir vos services le jour même de l'événement-bénéfice ni la veille. Vous seriez taxé d'opportunisme.

Le rôle des abeilles est plus effacé, mais combien précieux pour assurer le déroulement harmonieux d'un tournoi de golf, d'un colloque, d'un bal, etc. Si vous accomplissez un bon travail, si vous faites preuve de leadership, quelqu'un, quelque part en fera la remarque au moment opportun.

Vous pouvez aussi offrir vos services ou vos talents : travaux de graphisme, prise de photographies, transport de marchandises, etc. Dans certains cas, il sera possible d'être défrayé de vos dépenses (pellicules, messagerie, essence, etc.), mais pas toujours. C'est pourquoi vous devez préciser vos exigences ou vos limites *avant* de vous engager.

Une mise en garde toutefois : vous serez jugé comme si vous étiez payé. Il n'est pas question de vous soustraire de votre engagement parce que vous venez d'obtenir un contrat. En matière de bénévolat, **la fiabilité est une qualité encore plus prisée que l'expertise**, et souvent récompensée : la petite abeille a parfois la surprise de se voir invitée à joindre des cercles qu'elle croyait inaccessibles.

7.4.4 Faites vos contacts

Les galas et les événements culturels bénéfice sont des endroits de choix pour rencontrer des personnes influentes et obtenir le privilège d'engager une conversation amicale avec une célébrité ou un bonze du monde des affaires. Encore ici, une mise en garde s'impose : vous seriez mal vu d'y parler affaires, des vôtres surtout. Les sujets de conversation porteront davantage sur les affinités des participants.

Vous avez vendu des billets pour l'événement? Votre première responsabilité consiste à circuler parmi les participants et à remercier ceux qui ont appuyé la cause. Évidemment, cela ne vous dispense pas de le faire par écrit dans les jours qui suivent. Vous avez acheté un billet? Dans ce cas, *tous* les gens qui sont là sont vos amis d'un soir, puisque vous partagez votre sensibilité à la cause défendue. Il devrait donc être facile d'engager la conversation avec ces « étrangers ».

7.5 COMMENT DÉCLINER UNE REQUÊTE

Si le réseautage devient partie intégrante de votre vie, il va sans dire que l'on s'adressera à vous pour une multitude de raisons : partager vos contacts, donner votre avis sur un texte à paraître, participer à une réunion pour venir en aide à un collègue, etc. Vous ne pourrez évidemment pas toujours accéder aux demandes qui vous seront adressées. C'est d'ailleurs pourquoi plusieurs personnes répugnent à demander, craignant de devoir accepter en retour des requêtes qui ne leur plaisent pas ou qui vont carrément contre leur façon d'être.

7.5.1 Accepter ou refuser?

Je me sers régulièrement d'un petit exercice mis au point par l'Américaine Donna M. Reed, de Resources for Women, pour déterminer l'intérêt que je porte à la demande qui m'est faite. Formulé comme un jeu de tic-tac-toe, cet exercice m'est particulièrement utile lorsque l'on demande ma participation à un comité ou à une organisation quelconque. Pour ce faire, je réponds honnêtement aux questions suivantes :

	OUI	NON	PEUT-ÊTRE
• Est-ce que je veux le faire ?	O	N	✓
• Est-ce que je peux le faire ?	O	N	✓
• Est-ce que je le ferai ?	O	N	✓

Si je réponds un oui sur toute la ligne, je sais que je vais dans la bonne direction. Le fait de répondre par la négative à la première question n'entraîne pas forcément le rejet de la demande qui m'a été adressée : si quelqu'un m'a déjà rendu service par le passé, j'y penserai à deux fois avant de refuser de renvoyer l'ascenseur. Cependant, je ne le ferai pas à n'importe quel prix.

Par exemple, mon voisin a beau avoir gracieusement pelleté mon entrée de garage tout l'hiver, je ne pourrais me décider à lui prêter ma voiture pour autant. Pour l'avoir vu conduire sa moto, je suis certaine que je regretterais d'avoir dit oui ! J'aime bien mon voisin, mais ma voiture m'est indispensable.

Par ailleurs, je refuse de partager mes contacts avec des gens dont l'éthique personnelle va à l'encontre de la mienne ou qui sont susceptibles d'importuner mes amis avec des propositions embarrassantes. Je veux bien rendre service, et je le fais fréquemment, mais pas aux dépens des membres de mon réseau. Cette crainte, bien légitime, ne doit pas pour autant nous rendre trop prudents. Je connais des femmes qui ne suggéreraient pas une gardienne ou une femme de ménage à qui elles n'ont pas fait appel depuis un certain temps, de peur qu'elle ne soit pas à la hauteur. On ne les tiendrait pourtant pas responsables des actes de la personne suggérée.

De plus, j'ai fait miennes les questions qu'Anne Roe et Berthe B. Young, auteures de *Is Your Net Working ?*, suggèrent de se poser avant d'accepter ou de rejeter une demande :

- Est-ce que je suis redevable à cette personne ?

- La requête est-elle raisonnable ?

- Que me coûtera cette demande ?

- Est-ce que, par la suite, je m'en voudrai d'avoir dit oui ?

- Quelles seront les conséquences d'une acceptation ou d'un refus ?

Dans la majorité des cas, un « non merci » suffit. Naturellement, vous devez refuser avec amabilité et courtoisie. À ce sujet, les réseauteurs chevronnés adoptent deux attitudes distinctes, la première voulant que l'on refuse sans s'excuser ni se justifier. Certains préfèrent la seconde attitude, qui consiste à justifier son refus pour permettre à l'interlocuteur de sauvegarder sa dignité.

7.5.2 Sachez faire des compromis

Pendant la crise du verglas, votre voisine vous a fourni des réserves de bois de chauffage pour quatre jours en refusant tout paiement. Quelques mois plus tard, elle vous demande de la dépanner en allant chercher son invité à l'aéroport. Bien que vous lui deviez vraiment un tel retour d'ascenseur, vous avez une peur bleue des autoroutes à l'heure de pointe et n'avez plus confiance en votre vieille guimbarde. Que ferez-vous ?

Plusieurs choix s'offrent à vous. Vous pouvez payer quelqu'un d'autre pour le faire à votre place ou alors vous déclarer malade et repousser le moment où vous retournerez l'ascenseur. Vous pouvez aussi fournir les véritables motifs de votre refus et lui soumettre un compromis qui témoignerait de votre bonne volonté : pourquoi ne pas vous proposer comme guide auprès du visiteur pendant une journée ?

Il vous arrivera sûrement de devoir composer avec une personne qui n'acceptera pas votre refus et qui reviendra à la charge. Devant l'insistance d'un demandeur, assurez-vous que votre refus ait été bien compris ; à tenter d'être trop poli, le message devient parfois confus. Soyez ferme et clair : vous ne pouvez pas ou vous ne voulez pas.

7.5.3 Que faire si l'on vous boude ?

Si votre interlocuteur est froissé par votre refus, faites une évaluation honnête des raisons qui ont motivé votre décision. Si, après examen, celle-ci tient toujours, passez à autre chose. Il risque de subsister de l'embarras entre la personne qui a fait appel à vous et vous-même, et vous hésiterez tous deux à formuler une nouvelle demande. Dans ce cas, c'est à vous qu'incombe la responsabilité de faire les premiers pas, sans toutefois tomber dans l'exagération. Il suffit d'ouvrir l'œil : tôt ou tard, vous recevrez une information qui pourrait rendre service à la personne envers qui vous vous sentez redevable. Vous n'aurez plus qu'à l'appeler et, sans faire référence au passé, lui dire : « J'ai entendu dire que..., j'ai pensé que cela pourrait t'intéresser. » Avec le temps, tout rentrera dans l'ordre.

CHAPITRE 8

Faites travailler votre réseau

Réseauter, c'est envoyer à un système l'information
que nous détenons pour qu'elle circule
continuellement à travers le réseau.

Wayne Dyer

À ce stade-ci, votre réseau vous a peut-être déjà permis de trouver un emploi à votre fille, d'allonger votre liste de clients, voire de dénicher le chalet de vos rêves. Ne vous arrêtez pas tout de suite. Vos qualités de réseauteur vous permettent également de maximiser votre rendement professionnel, au cours d'un congrès par exemple, ou d'assurer vos arrières le jour où vous en aurez grandement besoin, si vous perdez votre emploi par exemple.

8.1 COMMENT TIRER LE MAXIMUM D'UN CONGRÈS OU D'UN COLLOQUE

Nombreux sont les bénéfices que l'on peut tirer des congrès, mais on doit s'y préparer sérieusement. Si vous disposez d'un plan de match avant le début de l'événement, vous saurez déjà pourquoi vous êtes là et ce que vous comptez y faire. Retenez que vous avez avantage à laisser une bonne impression, que vous ayez ou non parlé aux personnes que vous désiriez rencontrer.

8.1.1 La préparation en vue d'un colloque ou d'un congrès

Inscrivez-vous le plus tôt possible à un événement. Cela vous permettra de :

• vous assurer de figurer sur la liste des participants ;

• loger à l'hôtel où se déroule l'événement ;

• prendre le temps d'éplucher le programme pour bien choisir les ateliers auxquels vous comptez vous inscrire et de repérer les coordonnées des participants que vous souhaitez rencontrer.

Préparez un plan de match. Déterminez qui vous désirez rencontrer et les raisons qui vous motivent. Par exemple, vous désirez vous faire connaître par certains, vous rappeler au bon souvenir d'autres, obtenir une invitation privilégiée d'un fournisseur de services ou d'un décideur, recueillir de l'information de première main d'un participant, faire un brin de causette avec le conférencier-vedette, etc.

Communiquez avec un certain nombre de collègues susceptibles de participer au colloque et vérifiez s'ils y sont inscrits. Pourquoi ne pas faire du covoiturage pour vous rendre à l'événement ou, du moins, vous rencontrer la veille de manière à entrer rapidement dans le vif du sujet ?

Préparez un petit mot d'introduction qui vous rendra mémorable ; profitez-en pour apprendre par cœur la mission de votre entreprise.

Faites provision de cartes professionnelles, que vous conserverez à la portée de la main, et de brochures de l'entreprise bien rangées dans votre mallette.

Quelques jours avant le colloque ou le congrès, lisez attentivement les plus récentes publications traitant de votre secteur d'activité. Tentez de mémoriser qui a « bougé », qui a fait parler de lui dans le milieu, etc., de manière à pouvoir soutenir une conversation intelligente. Il se pourrait même que ces personnes soient sur place ; si c'est le cas, félicitez-les de leur promotion.

Préparez un ou deux « brise-glace », ces petites phrases qui vous permettent d'entrer en communication avec quelqu'un que vous ne connaissez pas ou encore qui ne vous a jamais été présenté officiellement.

8.1.2 Le plan d'action pendant le colloque ou le congrès

Évitez de vous asseoir avec quelqu'un que vous voyez ou à qui vous parlez régulièrement. Au besoin, rien ne vous empêche d'aller le chercher si la situation l'exige. N'êtes-vous pas venu faire de nouveaux contacts ?

Faites-vous un devoir de promettre des « services » à des personnes que vous aurez rencontrées au cours de l'événement (envoi d'un article de magazine dont il a été question, d'une brochure annonçant un événement pertinent, etc.). Prenez soin de noter votre promesse à l'arrière de la carte professionnelle de ces personnes... et ne l'oubliez pas !

Efforcez-vous de repérer les participants qui figurent à votre plan de match. N'hésitez pas à demander le concours d'autres participants, surtout si vous vous apercevez que ceux-ci proviennent de la même région que l'individu visé et qu'ils sont susceptibles de le connaître, ne serait-ce que de vue. Vous ferez alors en sorte de vous le faire présenter ou, en l'absence d'intermédiaire, vous vous présenterez vous-même.

Privilégiez, pour la conversation, des expressions positives comme : « Ce que j'ai le plus de plaisir à faire, c'est... », « J'ai acquis une expertise dans tel secteur », « J'aurais un grand plaisir à te faire visiter mon entreprise, à te présenter mon associé, etc. »

Une fois la conversation bien engagée, tentez de vous découvrir des affinités avec votre interlocuteur : sport, passe-temps, voiture, famille, etc. Vous aurez ainsi beaucoup plus de facilité à reprendre la conversation si vous croisez de nouveau cette personne au cours du colloque.

S'il est essentiel de se laisser guider par ses objectifs, ceux-ci ne doivent pas nous aveugler pour autant. Il peut être tout aussi important d'aider d'autres personnes à atteindre leur but (en les présentant à vos connaissances qui pourraient leur être utiles) que de s'acharner à tenter de communiquer avec celui ou celle qui est continuellement retenu par d'autres.

8.1.3 Après l'événement, faites vos devoirs

Révisez les notes que vous avez prises pendant les conférences ou les ateliers. Classez les cartes professionnelles que vous avez rapportées. Si un nom porte à confusion, inscrivez à côté s'il s'agit d'un homme ou d'une femme : cela vous évitera d'éventuelles situations pénibles. Inscrivez au verso de chaque carte l'essentiel de ce que vous avez retenu de son propriétaire. Au moment d'une rencontre fortuite, il se peut que vous vous souveniez davantage de ce dont vous avez discuté avec une personne que de son nom. Elle ne s'en formalisera pas si elle sent que vous n'avez pas oublié votre rencontre.

Au cours des 7 à 14 jours suivant l'événement, tenez les promesses que vous avez faites. Pour permettre à votre interlocuteur de bien vous situer (il pourrait avoir rencontré plusieurs personnes qui lui ont parlé du même sujet), joignez votre carte professionnelle et, si la situation le requiert, une brochure expliquant les services que vous offrez.

Trouvez des moyens de garder le contact, par exemple par l'envoi d'articles de journaux sur un sujet d'intérêt (ce pourrait très bien être relié à un passe-temps ou à un sport favori), par la diffusion de votre nouveau site Internet ou par l'envoi de votre bulletin d'entreprise.

8.2 CHERCHEZ UN EMPLOI AVANT DE PERDRE LE VÔTRE

Certaines personnes ont découvert le réseautage et l'importance de disposer d'un réseau solide lorsqu'elles ont perdu leur emploi. Si elles ne s'en étaient pas rendu compte par elles-mêmes, il s'en est trouvé plusieurs pour le leur rappeler. En effet, les habiletés de réseautage sont d'ores et déjà considérées comme le meilleur atout de la recherche d'emploi. Les statistiques démontrent d'ailleurs que 80 % des nouveaux emplois sont pourvus grâce au réseautage.

Il devient de plus en plus difficile, pour les chercheurs d'emploi, de rencontrer les employeurs éventuels. La solution? S'appliquer à se rendre visible dans son milieu professionnel, si l'on possède déjà un emploi, ou dans le milieu étudiant, si l'on est toujours aux études.

Dans ses séminaires comme dans ses livres, l'Américain Tom Peters préconise les trois *R* : *Réputation*, *Résumé* et *Rolodex*. Selon ce visionnaire, arriver à l'heure au travail, être de bonne humeur et vider son panier « À faire » avant de quitter le bureau n'assurent plus la sécurité d'emploi. Notre valeur sur le marché du travail passerait plutôt par la *Réputation* que nous font ceux qui nous ont côtoyés, par les aptitudes et les réalisations dont on peut se vanter dans son curriculum vitæ *(Résumé)* et par le nombre de contacts que nous maintenons dans notre champ d'activités professionnelles *(Rolodex)*.

En matière de recherche d'emploi, il faut se rappeler que toutes les pistes valent la peine d'être entretenues. Les références que vous obtiendrez ne s'avéreront pas toutes fructueuses, mais vous ne le saurez pas tant et aussi longtemps que vous n'aurez pas pris le temps de les vérifier.

Tout le monde a des contacts. Ce qui ne veut pas dire que tous sont en mesure de vous offrir du travail. En revanche, quelqu'un, en cours de route, vous mettra sur une piste qui vous conduira à une autre personne qui, elle, aura eu vent d'un débouché. Puisqu'il est impossible de prédire qui sera cette personne, il y va de votre intérêt de parler de votre situation à toutes celles que vous rencontrez : membres de la famille élargie, amis, connaissances, professeurs, dentiste, médecin, avocat, coiffeur, garagiste, membres de réseaux officiels auxquels vous appartenez, etc.

Je ne saurais trop recommander aux chercheurs d'emploi le livre *Marketing Yourself* (Harper Perennial) de l'Américaine Dorothy Leeds. L'auteure est claire à ce sujet : vous épargnerez du temps à tout le monde en exprimant *exactement* ce que vous recherchez. Surtout, faites savoir à vos contacts que leur collaboration sera appréciée. Il se peut que la prochaine personne à qui ces gens vont parler leur fasse part d'un filon quelconque. Et si quelqu'un vous dit : « Rappelle-moi dans une semaine », faites-le, même si ce n'est que pour lui dire que vous êtes présentement sur une bonne piste ou que vous avez trouvé un emploi. Ne présumez surtout pas que c'était là une façon de se débarrasser de vous.

8.2.1 Mieux vaut prévenir...

Vous détenez toujours un emploi, mais vous pressentez le jour fatidique où l'on vous donnera votre congé ? Que pouvez-vous faire en prévision de cette éventualité ?

D'abord, agir en fonction de perspectives à long terme. Il existe sûrement des ressources que vous aimeriez rencontrer. Ce peut être le conférencier que vous avez entendu à l'occasion d'un colloque ou d'un dîner causerie, ou encore une personne dont l'un de vos amis vous a dit le plus grand bien. Une connaissance vous a parlé d'une personne-ressource extraordinaire ? Faites le premier contact maintenant, à tout le moins, interrogez-vous sur la meilleure façon d'entrer en communication avec elle. Enfin, passez en revue les clubs, les organisations et les associations auxquels vous pourriez adhérer afin d'entrer en contact avec ces personnes clés.

Le réseautage est un peu comme un casse-tête : le fait de découvrir un élément vous amène à en découvrir un deuxième, puis un troisième. Vous ne savez par quel bout commencer ? Une séance de remue-méninges est le meilleur point de départ. Posez-vous les questions suivantes et dressez une liste des personnes qui vous permettront d'arriver à vos fins :

• Est-ce que je connais quelqu'un qui connaît quelqu'un que j'aimerais rencontrer, qui pourrait me mettre sur la bonne voie ou qui me forcerait à faire le point sur mon avenir ?

• Comment puis-je repérer ces personnes ?

• Comment puis-je faire ma propre « mise en marché » ?

• Existe-t-il un bulletin, une publication, une tribune où je puisse mettre en valeur mes connaissances et mes talents ?

8.2.2 Votre plan de match si vous êtes sans emploi

Vous n'avez pas vu le coup venir et vous vous retrouvez soudainement sans emploi ? Plus que jamais, vous devrez user de stratégie pour optimiser l'efficacité de votre réseautage.

Rappelez-vous que la plupart des gens aiment aider ; encore faut-il que vous les appeliez à une heure convenable et que vous soyez précis et concis. Reprenez votre bloc-notes et, à même votre réseau, repérez les personnes répondant aux critères suivants :

• Qui connaît le mieux mon domaine d'activité ?

• Qui travaille dans le milieu que je vise ?

• Qui pourrait me mettre en contact avec cette personne ?

• Qui sont les meilleurs réseauteurs ?

Empressez-vous de les mettre à l'œuvre. La recherche d'un bon filon est un « sport » que certains adorent pratiquer.

Les membres de votre réseau personnel peuvent se révéler précieux pour vous aider à traverser cette période de recherche d'emploi. Formez un groupe de soutien sur mesure qui vous accompagnera dans votre démarche et entretiendra votre dynamisme. Pour ce faire, retracez les bonnes personnes en répondant à ces questions :

- Qui pourrait me guider dans ma recherche d'emploi ou m'aider à déterminer la marche à suivre ?

- Qui, dans mon entourage, se trouve ou s'est déjà trouvé dans la même situation ?

- Leur ai-je déjà rendu service ou accordé une faveur ? Si oui, laquelle ?

- Avec quels amis ai-je du plaisir à échanger des idées et des expériences ?

- Lesquels de mes amis ou collègues connaissent ou apprécient mes talents et mes réalisations ?

Ces personnes pourraient contribuer à votre séance de remue-méninges.

Ceux et celles qui ont fait du réseautage un mode de vie n'auront pas de difficulté à répondre à ces questions. Les autres pourraient le trouver fastidieux. Considérez que la recherche d'emploi tient plus de la préparation que de la chance. Une chose est sûre : les membres de votre réseau qui ne sont pas en position de vous aider à trouver un emploi peuvent néanmoins vous remonter le moral, ce qui n'est pas à dédaigner.

ÉPILOGUE

C et ouvrage est terminé et déjà un nouveau projet mijote dans ma tête. Celui-là portera plus particulièrement sur le réseautage d'affaires, et je compte y relater des témoignages de réseautage réussi.

Vous avez envie de partager votre expérience ? J'aimerais savoir comment le réseautage a contribué à votre succès, tant personnel que professionnel, et particulièrement au développement de vos affaires et à votre succès financier.

Vous souhaitez parfaire votre formation en réseautage ? N'hésitez pas à communiquer avec moi :

Lise Cardinal et associés
2067A, rue Saint-Urbain
Montréal (Québec) H2X 2N1
Téléphone : (514) 286-0032
Télécopieur : (514) 286-4365
Courrier électronique : cardinal.lise@sympatico.ca
Site web : www.lisecardinal.com

ANNEXE 1

Faites l'inventaire de votre réseau

Inscrivez les noms de tous ceux et celles que vous connaissez, même si ce n'est que de nom, dans chacune des catégories suivantes :

1. **Famille** (père, mère, frères, sœurs, enfants, gendres, brus, neveux, nièces et leurs conjoints)

_____

_____

_____

_____

2. **Voisins** (incluant les anciens voisins et ceux des résidences secondaires, les enfants qui sont devenus adultes et leurs conjoints)

_____

_____

_____

_____

3. Amis (compagnons de classe, partenaires de tennis, de golf, etc.)

_____

_____

_____

_____

4. Groupes d'entraide (membres de Weight Watchers, des Alcooliques anonymes, de cellules d'entraide, de professionnels de la santé, etc.)

_____

_____

_____

_____

5. Clubs et activités bénévoles (clubs sportifs, marche, ski, Optimistes, Rotary, AFEAS, etc.)

_____

_____

_____

_____

6. Église et activités communautaires (pastorale, accueil, etc.)

_____

_____

_____

_____

7. **Organismes politiques** (comités gouvernementaux, politiciens, conseillers municipaux, députés, etc.)

_____

_____

_____

_____

8. **Affaires et professions** (patrons, employés, collègues, cadres, fournisseurs, concurrents, vendeurs, membres de chambres de commerce et du réseau de femmes d'affaires, coiffeur, épicier, propriétaire du dépanneur, etc.)

_____

_____

_____

_____

Définissez vos objectifs

Il ne suffit pas de savoir que vous avez besoin d'un réseau, il vous faut savoir à quelles fins. Toutes choses étant possibles, quels seraient les objectifs que vous aimeriez atteindre à court terme ? N'écartez rien pour l'instant, mais tentez quand même d'être aussi précis que possible. Inscrivez vos objectifs à court, à moyen ou à long terme dans chacun des domaines suivants. Nous vous offrons quelques pistes, mais votre imagination demeure votre seule limite !

Objectifs personnels

Êtes-vous propriétaire ou locataire ? À ce titre, quels besoins aimeriez-vous combler ? Rêvez-vous d'apprendre le tango ? Êtes-vous à la recherche de compagnons de randonnée ? De l'âme sœur, peut-être ? Envisagez-vous l'achat d'une copropriété dans le Sud ?

_____

_____

_____

_____

Objectifs familiaux

Êtes-vous à la recherche d'un foyer d'accueil pour votre père ? Votre enfant est-il légèrement ou sérieusement handicapé, surdoué ? Présente-t-il un potentiel d'athlète à exploiter ? À moins que vous ne souhaitiez lui dénicher un emploi d'été ou une bourse en vue de fréquenter une école prestigieuse ?

_____

_____

_____

_____

Objectifs de carrière

Êtes-vous employeur ou employé ? Avez-vous inscrit dans votre cheminement de carrière une réorientation éventuelle ou le démarrage d'une entreprise ? Vous aimeriez un jour vous lancer en politique active ?

_____

_____

_____

_____

Objectifs d'affaires

Vous êtes à la recherche de partenaires d'affaires ? Vous aimeriez recruter des clients mieux nantis ? Désirez-vous pénétrer un nouveau marché ? À quel profil répond-il ? Où pouvez-vous rencontrer ces clients potentiels ?

_____

_____

_____

_____

Les objectifs de votre réseautage

On ne le dira jamais assez : un plan de match fait toute la différence !
Pour chacun des secteurs de votre vie (personnel, familial, professionnel, etc.), prenez le temps de déterminer clairement vos objectifs et de
repérer les personnes ou le type de personne qui peuvent vous aider à
les atteindre.

Les objectifs personnels

Attendu que mon but pour les six prochains mois est de :

_____

_____

_____

Attendu que mon but pour l'année est de :

_____

_____

_____

Attendu que mon but pour les cinq prochaines années est de :

_____

_____

_____

Alors, le type d'aide le plus important dont j'ai actuellement besoin est :

_____

_____

_____

Objectifs familiaux

Attendu que mon but pour les six prochains mois est de :

_____

_____

_____

Attendu que mon but pour l'année est de :

_____

_____

_____

Attendu que mon but pour les cinq prochaines années est de :

_____

_____

_____

Alors, le type d'aide le plus important dont j'ai actuellement besoin est :

_____

_____

_____

Objectifs professionnels

Attendu que mon but pour les six prochains mois est de :

_____

_____

_____

Attendu que mon but pour l'année est de :

_____

_____

_____

Attendu que mon but pour les cinq prochaines années est de :

_____

_____

_____

Alors, le type d'aide le plus important dont j'ai actuellement besoin est :

_____

_____

_____

_____

Objectifs d'affaires

Attendu que mon but pour les six prochains mois est de :

_____

_____

_____

Attendu que mon but pour l'année est de :

_____

_____

_____

Attendu que mon but pour les cinq prochaines années est de :

_____

_____

_____

Alors, le type d'aide le plus important dont j'ai présentement besoin est :

_____

_____

_____

_____

Votre plan d'action

Pour chacun de vos objectifs, établissez maintenant votre plan d'action en dressant la liste des personnes avec qui vous devez communiquer, puis en notant, au fur et à mesure, les démarches entreprises auprès de chacune.

Objectif :

_____

Contacts :

_____   _____

_____   _____

_____   _____

Appels téléphoniques :   Résultats obtenus :

_____   _____

_____   _____

_____   _____

_____   _____

Rencontres :   Résultats obtenus :

_____   _____

_____   _____

_____   _____

_____   _____

Lettres/notes à écrire :   Résultats obtenus :

_____   _____

_____   _____

_____   _____

_____   _____

Autres :   Résultats obtenus :

_____   _____

Surtout, n'oubliez pas d'inscrire ces démarches dans votre agenda et de demeurer proactif.

Votre plan d'action mensuel

À chacun son système de gestion de contact. Si vous ne disposez pas d'un logiciel conçu à cette fin, la tenue de fiches comme celle-ci et celle de la page suivante vous évitera de perdre le fil de vos démarches.

Mois	Réunions	Appels/lettres/notes	Publicité	Suivi
Janv.				
Févr.				
Mars				
Avril				
Mai				
Juin				
Juill.				
Août				
Sept.				
Oct.				
Nov.				
Déc.				

Dossier individuel (recto)

Nom : _____

Téléphone :

Résidence : _____   Bureau : _____

Cellulaire : _____   Téléavertisseur : _____

Chalet : _____   Télécopieur : _____

Courriel : _____

Titre/fonction : _____

Entreprise : _____

Adresse : _____

Ville : _____

Code postal : _____

Adresse (résidence) : _____

Date de naissance : _____

Originaire de : _____

Contacts :

_____

_____

_____

_____

_____

Famille (membres en contact avec la personne) :

_____

_____

_____

_____

_____

(VERSO)

Éducation/formation : _____

Membre de (affiliations) : _____

Champs d'intérêt : _____

Réalisations : _____

Champion dans : _____

Autres :

_____

_____

ANNEXE 2

Les indispensables du réseauteur

On a beau jouir d'une mémoire d'éléphant, on ne saurait emmagasiner tout ce que l'on entend au cours des activités de réseautage. Ceux qui semblent y arriver sont tout simplement mieux organisés et comptent sur des outils de gestion de contacts de toutes sortes. Voici ceux qui m'ont bien servie jusqu'à ce jour ainsi qu'un aperçu des plus récentes innovations du genre. À chacun de déterminer les outils qui correspondent le mieux à son mode de travail.

LE PORTE-CARTES

Parfait pour ceux qui voyagent beaucoup, le porte-cartes vous permet un classement « manuel » par réseau. Pour ma part, je regroupe dans un premier porte-cartes les cartes professionnelles recueillies en Arizona, parce que je m'y rends régulièrement. J'en tiens un autre qui contient les cartes de gens rencontrés en voyage. Je précise au verso de chaque carte la date à laquelle je l'ai reçue et les circonstances de la rencontre. Un troisième regroupe les cartes des amateurs de pêche, de jazz, etc. Je consulte l'un ou l'autre selon l'objectif que je poursuis.

LES FICHIERS DE TYPE ROLODEX

Une erreur courante consiste à éparpiller — au risque d'égarer — des renseignements précieux : n'abandonnez surtout pas un mémo ou des cartes professionnelles dans vos poches ou sur votre bureau ! Le fichier, qu'il soit rotatif ou emboîté, permet de réunir toutes ses cartes au même endroit, soit en transcrivant les coordonnées sur une fiche ou en y agrafant la carte professionnelle.

Je connais des gens qui n'oseraient quitter la ville sans mettre leur fichier en lieu sûr, voire dans un coffre-fort ! Si vous partagez votre bureau ou si vous évoluez dans un domaine très compétitif, votre répertoire de contacts est aussi précieux qu'une liste de clients : peut-être devriez-vous alors songer à un modèle à clé.

L'AGENDA ÉLECTRONIQUE PORTATIF

L'agenda électronique s'avère un outil précieux pour le réseautage, notamment parce qu'il occupe moins d'espace que le volumineux agenda classique. Le plus populaire est le PalmPilot (dont l'entreprise 3Com a déjà vendu trois millions d'unités), un micro-agenda que l'on peut brancher à son ordinateur pour y transférer les données de son logiciel de contacts ou de son agenda. Ainsi, les contacts et les rendez-vous concordent avec l'agenda du bureau. Et puisque les données sont compilées dans l'ordinateur principal, la perte de son agenda électronique ne relève plus de la catastrophe.

Le Palm nouvelle génération (le Palm III) comporte un petit écran et un stylet permettant d'y noter à la main de l'info de première main. Arrivé au bureau, on n'a plus qu'à transférer les notes dans l'ordinateur.

LE ROLODEX ÉLECTRONIQUE

La dernière innovation de Rolodex est le Rex, un répertoire de contacts électronique pas plus gros qu'une carte de crédit. Pour consultation seulement, le Rex est dépourvu de clavier et doit être branché à l'ordinateur pour pouvoir y transférer les données de son logiciel de gestion de contacts.

LES AGENDAS INFORMATISÉS

On trouve désormais plusieurs logiciels de gestion du temps qui incluent un agenda individuel ou de groupe. Tous comportent en outre un carnet d'adresses permettant d'inscrire le numéro de téléphone et l'adresse électronique des personnes qui y sont inscrites. D'un clic, on peut ainsi passer de l'agenda au carnet d'adresses. Enfin, ces logiciels permettent d'imprimer les pages de l'agenda selon des formats divers : on n'emporte avec soi que les pages de la semaine ou du mois courant.

Lotus Organizer 97 GS. Windows NT, Windows 95. Pour PC. Utilisé en réseau, il permet la consultation des agendas de tous les membres de l'équipe et la planification des réunions. En français et en anglais. Prix : 124,95 $. Renseignements : www.lotus.com

Sidekick 98 de Starfish Software. Windows 95, Windows 98, NT 40 et versions ultérieures. Pour PC. En anglais seulement. Prix : 84,95 $.

Claris Organizer 2.0 pour Macintosh. Version élargie de l'agenda personnel, son carnet d'adresses comprend une case spacieuse qui permet d'y noter des renseignements additionnels sur la personne. Offert en français et en anglais. Prix : 109,95 $.

LES LOGICIELS DE GESTION DE CONTACTS

Le logiciel de gestion de contacts permet de consigner, pour chacun de vos clients, clients potentiels et membres de votre réseau, une masse de renseignements utiles à la planification de vos activités et au suivi de vos démarches de réseautage. La plupart comportent, outre une base de données, un agenda avec planificateur de votre emploi du temps ou des priorités de la journée, un gestionnaire d'appels (permettant de noter les suivis téléphoniques et le sujet des conversations), un bloc-notes et une fonction de rappel d'anniversaires.

Certains logiciels offrent maintenant un accès direct à Internet et à votre messagerie électronique. En reliant les entrées à un site Web ou à une adresse électronique, vous pourrez accéder à cette page presque instantanément.

Le coût d'achat de ces logiciels varie selon leurs possibilités et il faut s'attendre à payer davantage pour les nouveautés. Retenez cependant que les logiciels les plus performants exigent plus d'espace sur votre disque dur, sans compter qu'un accès à Internet nécessite la présence d'un modem à vitesse suffisante.

ACT! de **Symantec.** Windows NT, Windows 95. Pour PC. Le plus populaire à ce jour, il offre la possibilité de modifier les rubriques et de les traduire au besoin. Offert en anglais et en français. Prix : 234,95 $. Renseignements : www.symantec.com

Now Up-to-Date & Contact pour Macintosh. À la fois un agenda personnel et un gestionnaire de contacts. En anglais seulement. Prix : 164,95 $.

Maximizer 97 de Maximizer Technologies pour PC. Le seul logiciel canadien de gestion de contacts. En anglais seulement. Prix : 169,95 $. Renseignements : www.maximizer.com

Nous remercions l'équipe de M. Robert Cajolet, de Camelot, Place Ville-Marie, pour sa précieuse collaboration.

BIBLIOGRAPHIE

BECK, Nuala. *La nouvelle économie*, Montréal, Éditions Transcontinental, 1994, 232 p.

FERGUSON, Marilyn. *The Aquarian Conspiracy*, Los Angeles, Tarcher Houghton Mifflin Co., 1980, 448 p.

GOLEMAN, Daniel. *Emotional Intelligence, Why It Matter more than IQ*, New York, Bantam, 1995, 352 p.

LEEDS, Dorothy. *Marketing Yourself*, New York, Harper Perennial, 1991, 296 p.

MACKAY, Harvey. *Dig your Well Before You're Thirsty*, New York, Doubleday, 1997, 311 p.

MANDELL, Terri. *Power Shmoozing*, Los Angeles, James Mandell, 1993, 212 p.

NAISBITT, John. *Megatrends, Ten New Directions Transforming our Lives*, New York, Warner Books, 1984, 333 p.

REED, Donna M. *Empower Through Networking*, Tucson, Arizona, Resources for Women Press, 1992, 222 p.

ROANE, Susan. *How To Work a Room*, New York, Shapolsky Publishers, 1988, 203 p.

ROANE, Susan. *The Secrets of Savvy Networking,* New York, Time Warner, 1993, 202 p.

ROANE, Susan. *What Do I Say Next ?,* New York, Time Warner, 1997, 265 p.

ROE, Anne. *Networking Success,* Encintas, California, Seaside Press, 1994, 224 p.

ROE, Anne et Berthe B. YOUNG. *Is Your Net Working ?,* New York, John Wiley & Sons, 1989, 247 p.

VILAS, Donna et Sandy VILAS. *Power Networking,* Austin, Texas, MountainHarbour Publications, 1991, 191 p.

Pour aller plus loin

Regroupement des jeunes gens d'affaires du Québec
Tél. :   (418) 522-6937
Téléc. : (418) 522-6604

Société d'aide aux réseaux d'entreprises jeunesse (SAREJ)
Tél. :   (418) 877-6803
Téléc. : (418) 877-6849

Association québécoise du service à la clientèle
Tél. :   (514) 353-4612
Téléc. : (514) 353-9788

Chambre de commerce du Québec
Tél. :   (514) 844-9571
Téléc. : (514) 844-0226

Développement économique du Canada
Tél. :   (514) 283-6412
Téléc. : (514) 283-3302

Réseau des femmes d'affaires du Québec inc.
Tél. :   (514) 845-4281 1 800 332-2683
Téléc. : (514) 845-3365

Fondation de l'entrepreneurship
Tél. :   (418) 646-1994
Téléc. : (418) 646-2246

Groupement des chefs d'entreprise
Tél. :   (819) 477-7535
Téléc. : (819) 477-3549

Le réseautage de l'avenir

Q uand Lise Cardinal m'a demandé de partager avec ses lecteurs mes réflexions sur le réseautage, je me suis demandé pourquoi elle s'adressait précisément à moi, qui n'ai jamais été ni une fervente ni une experte de ce genre d'activités et qui, de surcroît, manque toujours de temps pour faire tout ce que j'ai à faire, y compris dormir, lire, prendre l'air et mettre de l'ordre dans mes affaires.

Comme Lise est une amie de longue date et que je ne veux pas la décevoir, il a bien fallu que je me résigne à réfléchir sur le sujet et que je me triture les méninges pour trouver ce que je pourrais bien avoir à dire qui lui donnerait satisfaction et qui ne trahirait pas la confiance qu'elle a mise en mes capacités. Après avoir lu son manuscrit, je me rends compte maintenant qu'elle venait de mettre en pratique ses enseignements et que, en faisant appel à moi, elle avait activé un maillon de son réseau (ce qui n'est d'ailleurs pas désagréable du tout).

En 1975, j'ai entrepris des études de MBA qui, à l'époque, représentaient ce que l'informatique et le génie sont à l'heure actuelle, pour ce qui est des perspectives de carrière professionnelle prometteuse. J'étais à ce moment-là au début de la trentaine ; j'avais participé pendant quelques années à un projet de développement important en Afrique,

puis séjourné au Liban pendant la guerre. À ce titre, j'avais certainement acquis une expérience aussi valable que celle de mes collègues.
Cependant, ces derniers l'auraient sans doute utilisée pour mieux se
positionner et pour mousser leur carrière, ce que je ne n'ai même jamais
pensé à faire.

Quand je revois mes comportements et mes manières d'être de
l'époque — et je n'avais pas l'inexpérience pour excuse —, je me recon-
nais assez bien dans l'ébauche de portrait que dresse Lise au troisième
chapitre et que je pourrais amplement enrichir : « Si vous avez mené
une vie d'ermite les jours de congé plutôt que retrouver des amis, si
vous avez préféré rentrer à la maison pour manger seul, vous installer
sous un arbre pour lire plutôt que converser, il y a fort à parier que...
votre réseau d'amis et de relations soit plutôt chétif. » Pendant toutes
mes années d'études et, par la suite, dans mon travail, j'ai fait ce que
beaucoup de femmes font : j'ai mis principalement l'accent sur la pro-
fondeur de ma formation intellectuelle et sur la qualité de mon travail
professionnel, et je n'ai pas accordé d'importance ni d'énergie aux
relations d'amitié, d'affaires ou de plaisir avec les personnes de mon
entourage. J'estimais, consciemment ou non, que c'était une perte de
temps ou que j'étais trop prise par mes autres activités familiales ou
personnelles, que les relations publiques découlaient quasiment de la
génétique masculine, sinon des réflexes, de la mythologie ou de la culture des mâles (au même titre que les voitures, le sport, les bulletins de
nouvelles, etc.), que les repas d'affaires, les 5 à 7, les congrès et le golf
étaient des alibis pour sortir de la maison. Bref, j'estimais que ces
pratiques de réseautage étaient des vestiges de « patentes » et de
magouilles héritées de façons de faire plus ou moins archaïques. Chose
certaine, à mes yeux, ces mœurs ne faisaient pas sérieux !

Il faut dire que, vers les années 1980, quand les théoriciens de la
gestion ont comparé les pratiques concrètes de l'administration pu-
blique et des affaires aux modèles normatifs enseignés jusque-là, la
notion de réseau a été présentée principalement de deux façons qui ont
suscité des réactions de rejet.

On a d'abord relié le réseautage à un groupe informel de pouvoir plus ou moins occulte — une sorte de bâtard peu fréquentable de la famille du lobbying et du trafic d'influence — par opposition à la « lignée légitime », représentée par la structure formelle d'autorité : l'officielle, la pure et la noble. Selon cette conception, le réseau apparaissait plus ou moins à la limite de la compétence, du droit, de l'ordre ou de l'éthique. Cette conception se retrouve encore à l'heure actuelle dans les manuels et dans les pratiques de gestion, avec la dichotomie entre la structure formelle (les actionnaires représentés par l'administration) et les relations de pouvoir informelles (les travailleurs représentés par les syndicats, les alliances, les clans, les relations amicales).

La seconde version s'inspirait du modèle des technologies de la communication et introduisait le réseautage comme s'il s'agissait d'un processus de communication parmi d'autres, c'est-à-dire essentiellement comme un système technique de transmission et de diffusion de l'information, une sorte de système de communication artisanal — par opposition au téléphone ou au réseau Internet par exemple — dans la mesure où ce canal informel est de nature humaine (de personne à personne) et fondé sur les affinités, plutôt que de nature technologique (fil, câble, fibre optique ou ondes). Cette conception très technique du réseautage a eu pour effet de mettre l'accent uniquement sur ses aspects matériels, utilitaristes et pragmatiques (par exemple, la taille du réseau, les manières de l'entretenir, les résultats attendus, etc.) et de dévaloriser les dimensions humaines fondamentales sur lesquelles un véritable réseau de personnes se fonde, comme s'il s'agissait de vestiges d'une époque révolue ou encore de bruit à éliminer.

Dans ce bref commentaire, je voudrais conclure en insistant sur une idée principale : nous assistons actuellement à l'émergence de l'« économie de la connaissance ». Cette expression désigne un nouveau type d'économie où la croissance, le développement et la prospérité ne seront plus fondés sur les technologies — qu'elles soient informatiques, électroniques et de communication —, mais sur l'innovation, l'ingénierie sous toutes ses formes, les applications scientifiques et l'élaboration de nouveaux contenus. Pour en savoir plus sur la question, je vous invite à lire *La nouvelle économie* de Nuala Beck. Dans ce monde en devenir, la valeur ajoutée ne se trouve plus dans l'accès à l'information : les immenses possibilités offertes par la technologie informatique et les télécommunications sont là pour rester, pour continuer d'exploser même et, en conséquence, l'information sera accessible à tous. De plus en plus, la valeur ajoutée se trouvera dans les activités à forte teneur en savoir, en travail intellectuel, en créativité et en dextérité.

On prévoit pour cette nouvelle ère que beaucoup d'employés pourront travailler à domicile ou dans un lieu choisi arbitrairement, mais — et c'est là le point important — « à l'extérieur du siège social ». Les télécommunications permettront de joindre ce dernier de partout et de regrouper des ressources où qu'elles soient. Ce scénario général se reproduira à toutes les échelles : mondiale, nationale et locale.

Paradoxalement, ce contexte se caractérise à la fois par l'éclatement physique des équipes de travail, la spécialisation de pointe, l'isolement et l'autonomie, d'une part, et par la mise en commun des idées, les échanges de nature intellectuelle, la créativité, la culture et la coopération, d'autre part. On comprend donc l'importance cruciale que présente le réseau, conçu non plus comme « un carnet d'adresses bien garni » dont on fait usage d'une manière plus ou moins opportuniste et que l'on peut toujours renouveler au besoin selon cet adage que nul n'est irremplaçable, mais comme « un tissu de liens de solidarité ». Chacun y est unique et les dimensions humaines telles que l'amitié, la confiance, l'éthique, l'honneur deviennent des facteurs clés, lesquels s'avèrent plus importants que les compétences strictement professionnelles.

Renée Bédard
Ph.D. Administration
Gestionnaire-conseil
Université Laval, Québec

COLLECTION ENTREPRENDRE

**Comment désamorcer
les conflits au travail**
Ghislaine Labelle
24,95 $ • 180 pages, 2005

Profession : vendeur au détail
Alain Samson
19,95 $ • 231 pages, 2005

L'entrepreneuriat au Québec
Pierre-André Julien
39,95 $ • 400 pages, 2005

**Réaliser son projet d'entreprise
3ᵉ éd. revue et enrichie.**
Louis Jacques Filion
39,95 $ • 566 pages, 2005

**Comment devenir
un meilleur boss**
Alain Samson
24,95 $ • 151 pages, 2005

**Encaisser un échec comme
on encaisse un chèque**
Marc Chiasson
24,95 $ • 149 pages, 2005

**Comment faire un plan
de marketing stratégique
2ᵉ éd. revue et enrichie.**
Pierre Filiatrault
26,95 $ • 258 pages, 2005

Réseautage d'affaires : mode de vie
Lise Cardinal avec Roxane Duhamel
26,95 $ • 268 pages, 2004

Gérer le volet humain du changement
Céline Bareil
29,95 $ • 213 pages, 2004

**Prévenir et gérer les plaintes
de harcèlement au travail**
Groupe d'aide et d'information
sur le harcèlement sexuel au travail
24,95 $ • 173 pages, 2004

Promettez beaucoup, livrez davantage
Alain Samson
24,95 $ • 155 pages, 2004

Comment facturer mes services
Marc Chiasson avec Marie Brouillet
24,95 $ • 142 pages, 2004

Comment gérer un employé difficile
Muriel Drolet avec Marie-Josée Douville
27,95 $ • 200 pages, 2004

Persuadez pour mieux négocier
Alain Samson
24,95 $ • 246 pages, 2003

L'essaimage d'entreprises
Louis Jacques Filion, Danielle Luc
et Paul-A. Fortin
34,95 $ • 317 pages, 2003

Vendre par téléphone
Marc Chiasson
24,95 $ • 196 pages, 2003

Les entrevues de gestion
Lucien Tremblay
29,95 $ • 285 pages, 2003

Parler en public
Édith Prescott
24,95 $ • 195 pages, 2002

**La culture entrepreneuriale,
un antidote à la pauvreté**
Paul-A. Fortin
29,95 $ • 245 pages, 2002

Rédiger une soumission gagnante
(Faire affaire avec les gouvernements 2)
Info-Opportunités
24,95 $ • 82 pages, 2002

Les marchés publics
(Faire affaire avec les gouvernements 1)
Info-Opportunités
24,95 $ • 127 pages, 2002

OUPS !
Lise Frève
24,95 $ • 218 pages, 2002

Initiation au commerce électronique
Alain Samson
27,95 $ • 191 pages, 2002

Mentors recherchés
Marcel Lafrance
27,95 $ • 175 pages, 2002

Faire une étude de marché avec son PC
Marc Roy
24,95 $ • 167 pages, 2002

Former pour réussir
Lise Frève
24,95 $ • 202 pages, 2002

Innover pour prospérer
Jean Lepage
27,95 $ • 299 pages, 2002

Une équipe du tonnerre
Ghislaine Labelle
27,95 $ • 184 pages, 2001

Superviser dans le feu de l'action
Marc Chiasson et Lise Frève
24,95 $ • 216 pages, 2001

J'ouvre mon commerce de détail
(2ᵉ édition)
Alain Samson
32,95 $ • 272 pages, 2001

Votre PME et le droit
(3ᵉ édition)
Michel A. Solis
24,95 $ • 192 pages, 2001

Le choc du savoir
Fernand Landry
27,95 $ • 256 pages, 2001

Arrêtez de vendre, laissez vos clients
acheter
Camille D. Roberge
29,95 $ • 240 pages, 2001

Présenter mes projets et services avec brio
Marc Chiasson
24,95 $ • 272 pages, 2000

L'art de communiquer
Ministère de l'Industrie et du Commerce
9,95 $ • 48 pages, 2000

Le travailleur autonome et son marché
Ministère de l'Industrie et du Commerce
9,95 $ • 48 pages, 2000

Le travailleur autonome et
le développement de sa clientèle
Ministère de l'Industrie et du Commerce
9,95 $ • 48 pages, 2000

Les techniques de vente
Ministère de l'Industrie et du Commerce
9,95 $ • 48 pages, 2000

Les pionniers
de l'entrepreneurship beauceron
Jean Grandmaison
24,95 $ • 165 pages, 2000

Le management d'événement
Jacques Renaud
24,95 $ • 222 pages, 2000

Marketing gagnant
(2ᵉ édition)
Marc Chiasson
24,95 $ • 262 pages, 1999

L'aventure unique d'un réseau
de bâtisseurs
Claude Paquette
24,95 $ • 228 pages, 1999

Le coaching d'une équipe de travail
Muriel Drolet
24,95 $ • 188 pages, 1999

Démarrer et gérer une entreprise
coopérative
Conseil de la coopération du Québec
24,95 $ • 192 pages, 1999

Les réseaux d'entreprises
Ministère de l'Industrie et du Commerce
9,95 $ • 48 pages, 1999

La gestion du temps
Ministère de l'Industrie et du Commerce
9,95 $ • 48 pages, 1999

La gestion des ressources humaines
Ministère de l'Industrie et du Commerce
9,95 $ • 48 pages, 1999

L'exportation
Ministère de l'Industrie et du Commerce
9,95 $ • 48 pages, 1999

Comment trouver son idée d'entreprise
(3ᵉ édition)
Sylvie Laferté
24,95 $ • 220 pages, 1998

Faites le bilan social de votre entreprise
Philippe Béland et Jérôme Piché
21,95 $ • 136 pages, 1998

Comment bâtir un réseau
de contacts solide
Lise Cardinal
18,95 $ • 140 pages, 1998

Correspondance d'affaires anglaise
B. Van Coillie-Tremblay, M. Bartlett
et D. Forgues-Michaud
27,95 $ • 400 pages, 1998

Profession : patron
Pierre-Marc Meunier
21,95 $ • 152 pages, 1998